EJERCICIOS DE GRAMÁTICA

NIVEL SUPERIOR

Josefa Martín García

Equipo de la Universidad de Alcalá
Dirección de la colección: María Ángeles Álvarez Martínez

Programación: María Ángeles Álvarez Martínez
Ana Blanco Canales
María Jesús Torrens Álvarez

Autora: Josefa Martín García

Juan Ignacio Luca de Tena, 15 - 28027 Madrid

Depósito legal: M-14025-2006
ISBN: 84-667-0062-5
Printed in Spain
Imprime: Fernández Ciudad, S. L. Madrid

Equipo editorial
Edición: Milagros Bodas, Carolina Frías, Sonia de Pedro
Equipo técnico: Javier Cuéllar, Laura Llarena
Ilustración: El Gancho (Tomás Hijo, José Zazo y Alberto Pieruz)
Cubiertas: Taller Universo: M. Á. Pacheco, J. Serrano
Diseño y realización de interiores: JV, Diseño Gráfico, S. L.

Expresamos nuestro agradecimiento al Vicerrectorado de Investigación de la Universidad de Alcalá, por el proyecto subvencionado "Frecuencia de uso y estudio del léxico con especial aplicación a la enseñanza del español como lengua extranjera" (H004/2000); y muy especialmente al Vicerrector de Extensión Universitaria de esta Universidad, Profesor Antonio Alvar Ezquerra, por haber acogido con entusiasmo nuestro proyecto y habernos prestado desde sus comienzos su inestimable apoyo y ayuda.

Se incluyen en los materiales complementarios del método SUEÑA, diseñado para la enseñanza del español a extranjeros desde el Nivel Inicial hasta el Nivel de Perfeccionamiento, estos *Ejercicios de gramática* –dentro de la colección **PRACTICA**–, obra concebida como material de refuerzo en el aula, pero que además puede servir como libro de autoaprendizaje, con independencia del método SUEÑA.

Este libro se compone de sesenta ejercicios que se corresponden con el Nivel Superior. El orden de los ejercicios se ha establecido por el grado de dificultad. No obstante, se ofrece un índice temático para el estudiante que quiera reforzar cuestiones concretas. Al final del libro se dan las soluciones y, además, cada nueve actividades se ha incluido una autoevaluación de respuesta múltiple.

ÍNDICE TEMÁTICO

1

Las siguientes oraciones llevan el *pronombre relativo que* con preposición. Escríbelas utilizando algún relativo de los que aparecen en el recuadro.

cuyo donde cuando quien el/la/los/las/lo cual

a) No conozco el lugar en el que hemos quedado.

EJEMPLO: *No conozco el lugar donde hemos quedado.*

b) El hombre al que viste ha desaparecido.

....

c) Hubo un accidente en la carretera, por lo que se produjeron muchas retenciones.

....

d) Iremos a Barcelona, ciudad en la que se encuentra la Sagrada Familia.

....

e) El mes en el que se difundió la noticia fue febrero.

....

f) Iré a ver a un amigo en el que confío plenamente.

....

g) La ventana por la que se ha fugado estaba abierta.

....

h) Los musulmanes, contra los que lucharon los reyes castellanos y aragoneses, habían invadido la península Ibérica.

....

i) Éste es el edificio del que hemos visto la destrucción.

....

j) Te visitaré en octubre, momento en el que estaré menos ocupada.

....

k) Ana discutió con su jefe, por lo que fue despedida.

....

l) Conoció a un hombre al que le gustaba mucho esquiar.

....

m) He vendido el coche, del que el motor estaba ya roto.

....

2

Escribe las *preposiciones* que faltan en las siguientes oraciones.

a) .... mayo y junio cerraremos el balance.

b) La película terminó aproximadamente .... las diez.

c) Llegaremos .... las diez, un poco antes o después.

d) Llegó a casa .... María.

e) Escribieron el libro .... Ana y Juan.

f) El libro es una recopilación de artículos .... los romanos.

g) Te espero .... la estación.

h) Nos dirigimos .... el puerto.

i) La cita está confirmada: nos vemos .... mayo.

j) No sé cuándo podremos vernos, posiblemente .... mayo.

k) Siempre responde .... miedo.

l) El cojín está .... la silla.

m) Fuimos de vacaciones .... barco.

n) Costará .... los dos millones.

ñ) Le gustan las sardinas .... aceite.

o) Acabo de ver una pared .... muchos cuadros.

p) Caminamos .... los árboles.

q) Lo ha escrito .... el bolígrafo.

Ahora di en qué oraciones aparecen los valores de cada preposición.

CON

compañía ....

instrumento ....

modo ....

contenido ....

EN

lugar ....

tiempo ....

modo ....

instrumento ....

ENTRE

lugar ....

colaboración ....

tiempo ....

HACIA

dirección ....

tiempo ....

SOBRE

aproximación ....

localización ....

tiempo ....

tema ....

3

Escribe en *pasado* las siguientes oraciones.

a) Espero que presentes un recurso lo antes posible.

EJEMPLO: *Esperaba que presentaras un recurso lo antes posible.*

b) Dudo que mañana lleguen a tiempo.

....

c) Habrá estudiado inglés, pero no entiende nada.

....

d) Es muy triste que haya tenido que oír eso.

....

e) Piensa que para mañana ya habrá acabado.

....

f) Los periodistas informan de que el presidente del Gobierno ha convocado elecciones.

....

g) Ana se pregunta si Alberto aceptará su propuesta o no.

....

h) Me alegro de que todo te vaya bien.

....

i) Los profesores comentan que los exámenes podían haber sido mejores.

....

j) Es normal que hayan intentado boicotear el proceso de paz.

....

k) Es cierto que el director había hablado con los trabajadores antes de despedirlos.

....

l) Será médico, pero no cura a ningún paciente.

....

m) Aunque haga mal tiempo, me iré de vacaciones.

....

n) Es verdad que Juan tenía 35 años cuando le tocó la lotería.

....

4

Escribe las siguientes *oraciones temporales* sustituyendo *cuando* por alguno de los nexos temporales del recuadro. En algunos casos puede aparecer más de uno.

tan pronto como, mientras, después de que, apenas, hasta que, antes de que, nada más

a) Cuando termines, avísame.

EJEMPLO: *Tan pronto como termines, avísame.*

b) Cuando Daniel vino a verte, ya habías hablado con su padre.

....

c) Isabel escuchaba música cuando estudiaba.

....

d) Cuando termine la clase, quiero hablar contigo.

....

e) Cuando sonó el teléfono, lo cogió rápidamente.

....

f) Salimos del cine cuando terminó la película.

....

g) Mejorarás cuando te tomes los medicamentos.

....

h) Cuando tienes muchas deudas, no debes despilfarrar el dinero.

....

i) Cuando terminó de leer el libro, inmediatamente se puso a escribir la crítica.

....

5

Fíjate en las siguientes oraciones e indica cuál es el sujeto en cada caso.

a) *Me han pegado.*
b) *Si conoces a mucha gente, serás feliz.*

c) *Llueve.*
d) *Se come bien aquí.*

1. ¿Qué tienen en común las oraciones de los dos grupos?

....

....

2. Agrupa ahora las siguientes oraciones impersonales y explica las características que tiene cada grupo.

1) Si bebes, no conduzcas.

2) Alguien te llama.

3) Se camina bien por este lugar.
4) Se busca a los niños que han desaparecido.
5) Fumar es malo para la salud.
6) Cuando tienes un buen coche, todo el mundo te envidia.
7) Me han regalado un libro.
8) Uno tiene que saber de todo en esta vida.
9) Está nevando.
10) En este hotel se habla alemán.
11) En este hospital se examina a los pacientes con tuberculosis.
12) Está prohibido en esta ciudad tocar el claxon a partir de las doce de la noche.
13) Hace frío.
14) Arreglaron ya la lavadora.

....

....

....

....

3. Identifica las oraciones impersonales de la siguiente lista.

1) Han llamado a la puerta.
2) Se llega antes a clase.
3) Cuando descubres la verdad, siempre duele.
4) Han llegado los dos tarde a la estación.
5) Quieren coger setas.
6) Se fotocopian libros.
7) Se llamó a la policía.
8) Si cierras la puerta, te lo agradeceré.
9) Se han roto los vasos.
10) Es peligroso hablar por el móvil conduciendo.

....

6

Escribe el verbo de las siguientes oraciones en el *modo* y *tiempo* adecuados. Fíjate en que el modo de los verbos está determinado por el adjetivo o nombre del que dependen.

a) El juez tenía la sospecha de que el testigo .... *(estar)* mintiendo.

b) Están seguros de que .... *(llamar)* a la puerta hace un momento.

c) Estoy contento de que .... *(venir, tú)* a verme.

d) La teoría de que los coches .... *(poder)* funcionar con agua no está todavía demostrada.

e) Comparto la idea de que la economía del país .... *(ir)* mal.

f) Estaban convencidos de que .... *(ser)* pronto millonarios.

g) La causa de que .... *(haber)* tantos desempleados estaba en la mala política económica del gobierno.

h) Somos conscientes de que nunca .... *(poder)* ganar esa carrera.

i) La ley está pendiente de que el Gobierno la .... *(aprobar)*.

j) El director del colegio no aceptó la solución de que los alumnos .... *(irse)* a casa.

k) No es partidario de que los niños .... *(recibir)* una educación bilingüe.

l) Tenía ganas de que .... *(terminar, tú)* los estudios.

m) Estáis acostumbrados a que la gente .... *(rechazar)* vuestras ideas.

1. ¿Qué nombres y adjetivos llevan subjuntivo?

....

....

2. ¿Qué nombres y adjetivos llevan indicativo?

....

....

3. ¿De qué depende el tiempo de los verbos que has escrito?

....

....

4. ¿Qué preposiciones preceden a las oraciones con *que?*

....

....

7

Escribe las siguientes oraciones en *estilo indirecto* y en pasado utilizando el verbo que se propone en cada caso. Fíjate en que todos los verbos exigen una *preposición*.

El profesor les dijo a los alumnos:

a) "Siento mucho haber llegado tarde a clase".

(disculparse)

EJEMPLO: *El profesor se disculpó por haber llegado tarde a clase.*

b) "No puedo creer que no hayáis hecho los ejercicios."

(sorprenderse) ....

c) "Como no hagáis los deberes el próximo día, os quedaréis sin recreo."

(amenazar) ....

d) "Entiendo que no hayáis tenido tiempo para preparar el examen."

(convencerse) ....

e) "Os agradezco que me hayáis nombrado el mejor profesor de la escuela."

(dar las gracias) ....

f) "Estoy muy contento de que hayáis ganado la copa."

(felicitar) ....

g) "Repito que tenéis que estudiar más."

(insistir) ....

h) "Me gustaría que vierais esa película."

(invitar) ....

i) "No me gusta que dejéis los pasillos de la escuela llenos de papeles."

(quejarse) ....

j) "No puedo creer que me hayáis engañado."

(sorprenderse) ....

8

Fíjate en las siguientes oraciones y explica qué diferencia de significado existe entre los verbos *ponerse, quedarse, volverse* y *hacerse*.

Ana se puso triste.
Ana se quedó triste.
Ana se puso simpática.
Ana se volvió simpática.
Ana se hizo simpática.

....

....

....

Completa las oraciones con esos verbos.

a) Conoció a Susana en una fiesta y .... loco de amor.

b) Cuando le dijeron que le habían engañado .... muy dolorido.

c) Se acostumbró a no trabajar y .... perezoso.

d) No vas a conocer a Santiago porque .... calvo.

e) Trabaja mucho y con un poco de suerte te .... famoso.

f) En tres años Pedro .... muy gordo por comer tanto.

g) Era muy moreno y por una enfermedad .... pálido.

h) Le dieron tal susto que .... pálido.

i) Ha tomado mucho sol y .... muy moreno.

j) Estalló un petardo cerca de él y .... sordo.

k) Como no deje a esos amigos .... un delincuente.

9

Escribe los nexos que faltan en las *oraciones compuestas* de los siguientes textos.

I. (1) .... no había nevado lo suficiente, los Pérez decidieron ir a la montaña (2) .... esquiar. Pensaron que (3) .... poca nieve (4) .... hubiera, tal vez era posible esquiar en alguna pista. (5) .... cargaron el equipo en el coche, salieron para la montaña. (6) .... llegar al puerto, había un gran atasco. (7) .... hubieran madrugado más, no tendrían que estar esperando.

II. (1) .... tenía una reunión urgente, no podía ir al médico, (2) .... no se sentía bien. Iría a la consulta (3) .... acabara la reunión (4) ...., a lo mejor, el médico podía visitarla (5) .... no se había ido.

III. (1) .... Pedro escuchara los consejos de su psicólogo, no aceptaría tantos trabajos. (2) .... lo han ascendido, tiene más tareas y, (3) ...., ve poco a su familia. (4) .... gana mucho dinero, es bastante infeliz y está muy estresado. (5) .... visitar al psicólogo por primera vez el año pasado, había estado en el hospital durante tres semanas (6) .... tenía hipertensión y crisis nerviosas.

IV. No pudo comprarse el coche (1) .... el modelo (2) .... quería estaba agotado (3) .... fabricaran más. (4) .... el coche tenía un diseño innovador y un precio asequible, la gente se había lanzado a comprarlo (5) .... tener en cuenta (6) .... el motor era bueno o no.

10

***Autoevaluación.* Elige la respuesta correcta.**

1. Me llamó para decirme que ....

   a) vendrá b) vendría c) venga

2. Las bicicletas circulan .... los coches.

   a) sin b) para c) entre

3. .... llegar los soldados, los habitantes se metieron en sus casas.

   a) Del b) Al c) Para

4. Éste es el chico .... tantos problemas ha causado.

   a) que b) quien c) el que

5. He oído ruidos. .... en el patio.

   a) Han entrado b) Entras c) Se ha entrado

6. Ha tenido un accidente y se .... ciego.

   a) ha vuelto b) ha puesto c) ha quedado

7. .... estaba muy triste, no quiso ver a nadie.

a) Si b) Aunque c) Como

8. Te felicito .... haber organizado tan bien esta fiesta.

a) por b) a c) de

9. La secretaria en la .... están interesados sabe varios idiomas.

a) quien b) que c) --

10. Cuando su padre murió, ... muy triste, pero a los pocos días olvidó todo.

a) se volvió b) se hizo c) se puso

11. Debemos cambiar la ventana .... cristal está todavía roto.

a) cuyo b) el que c) que

12. .... no me avises, nunca me enteraré.

a) Para b) Aunque c) Como

13. He estado trabajando .... cinco a ocho de la tarde.

a) desde b) de c) por

14. .... conocer la noticia, se puso a llorar.

a) Tan pronto como b) Apenas c) Nada más

15. Antonio imaginaba que el examen .... más fácil.

a) sería b) será c) sea

16. Se llevó los papeles del despacho .... que nadie se enterara.

a) desde b) a c) sin

17. Aun .... poco, engorda.

    a) comer   b) comiendo   c) comido

18. El restaurante .... quedamos está cerrado.

    a) donde   b) en que   c) en cuyo

19. Ángel se convenció .... que nunca ascendería en esa empresa.

    a) por   b) a   c) de

20. De niño era muy tímido, pero con los años se .... muy sociable.

    a) ha puesto   b) ha quedado   c) ha vuelto

11

Escribe las siguientes oraciones sustituyendo la *oración subordinada* por un sustantivo.

a) No me gusta que Daniel considere que todo el mundo es injusto.

EJEMPLO: *No me gusta la consideración de Daniel de que todo el mundo es injusto.*

b) Lamento que me haya retrasado.

....

c) La gente ha protestado porque se ha destruido el edificio.

....

d) Se necesita dinero para construir el edificio.

....

e) Estos platos se han roto porque han sido embalados mal.

....

f) Es imposible estrenar una obra de teatro sin que alguna entidad pública o privada la financie.

....

g) Han tardado varios meses en montar el espectáculo.

....

h) Queda prohibido talar árboles en primavera.

....

i) Como le han picado las abejas, tiene muchos granos.

....

j) Los delegados de la ONU facilitarán que los países debatan sobre la crisis económica.

....

k) Se han producido muchas protestas por encarcelar a varios manifestantes.

....

l) Siento mucho que te disgustaras.

....

m) Oigo a Juan roncar todas las noches.

....

n) En la televisión vimos que la gente pitaba a los periodistas.

....

¿Cómo has formado los sustantivos?

....

....

....

12

Escribe las siguientes *oraciones compuestas* utilizando el nexo que aparece debajo de cada una de ellas.

a) Cortaron el árbol porque sus hojas estaban secas.

(*cuyo*)

EJEMPLO: *Cortaron el árbol cuyas hojas estaban secas.*

b) A pesar de ser una persona mayor, es capaz de trabajar duro.

(*aun*) ....

c) Antes de que salgas de viaje, revisa el coche.

(*si*) ....

d) Cuando presentaste el recurso, ya sabías que la gente te apoyaba.

(*al*) ....

e) Entregado el examen, los alumnos podrán salir de clase.

(*después*) ....

f) Entrenó tanto que tuvo una lesión grave.

(*de*) ....

g) Cuando tenga diez años de antigüedad en el puesto, ascenderá.

(*hasta*) ....

h) No te cuidas y, por eso, puedes tener problemas de salud.

(*como*) ....

i) Haz el trabajo del modo que te han enseñado.

(*como*) ....

j) Cuando conociste la noticia, te pusiste a llorar.

(*nada más*) ....

13

Completa los textos con los *pronombres* que faltan.

I. A Luisa .... (1) interesa mucho el mundo de la moda. Todas las temporadas .... (2) compra ropa para renovar su vestuario. .... (3) dice a sus amigos que las mujeres deben conservar .... (4) activas y jóvenes. Además de la ropa, ... (5) gasta gran parte de su sueldo en la peluquería: suele cortar.............. (6) y teñir.............. (7) el pelo cada mes y todas las semanas .... (8) peinan. Como ya ha pasado de los cuarenta y cinco, ... (9) cuida mucho la cara y vigila su figura. Acude a centros de belleza con mucha frecuencia para que .... (10) den masajes o .... (11) limpien la piel.

II. Pedro es un buen amigo mío. Nunca .... (1) ha negado su ayuda y siempre .... (2) ha dado buenos consejos. Todos los amigos pensamos .... (3) mismo de .... (4). Cuando .... (5) necesitamos, siempre .... (6) escucha y tiene tiempo para estar con .... (7). A veces .... (8) decimos que es demasiado bueno y la gente .... (9) va a aprovechar de .... (10). No .... (11) hace caso y .... (12) ríe de .... (13) cuando .... (14) .... (15) repetimos. Según .... (16), debemos escuchar.............. (17) los unos a los otros, sobre todo si somos amigos. .... (18) asegura que .... (19) gusta escuchar, pero que no es tonto: si alguien .... (20) traicionara, nunca más volvería a confiar en .... (21).

Completa la tabla *formando los verbos* a partir de los sustantivos que aparecen en la primera columna. Después, forma de nuevo sustantivos a partir de esos verbos siempre que sea posible.

sustantivo	verbo	sustantivo
alcohol	*alcoholizar*	*alcoholización*
camino		
cartón		
chantaje		
cuaderno		
deuda		
ejemplo		
esquema		
flor		
grano		
grupo		
jaula		
metal		
miga		
montón		
nudo		
pedal		
plan		
trozo		
vicio		

¿Cómo has formado los verbos?

....

....

15

Explica el significado de los siguientes grupos de *oraciones compuestas* e indica de qué tipo de oración se trata en cada caso. Fíjate en que en algunos casos un mismo nexo puede tener más de un significado.

a) Sacas buenas notas porque estudias mucho.
b) Si estudias mucho sacas buenas notas.
c) Aunque estudias mucho, no sacas buenas notas.

....

....

....

d) No como pasteles porque estoy muy gordo.
e) No como pasteles porque esté muy gordo.

....

....

f) Como vienes pronto, podremos ir a cenar.
g) Como vengas pronto, podremos ir a cenar.

....

....

h) Al leer el libro, se dio cuenta del error.
i) Al no leer el libro, suspendió el examen.

....

....

j) Para tener mucho dinero, vive de forma muy modesta.
k) Para tener mucho dinero, tiene que trabajar muchas horas.

....

....

l) Aceptó la dirección de la empresa cuando podía vivir tranquilo con un buen sueldo.
m) Aceptó la dirección de la empresa cuando terminó el máster.

....

....

n) Mientras tengas dinero la gente te apreciará.
ñ) Cuando tengas dinero la gente te apreciará.

....

....

o) Por mucho que estudie, no aprueba.
p) No aprueba por no estudiar mucho.
q) Estudia mucho para aprobar.
r) Aunque estudie mucho no aprueba.
s) Aunque estudia mucho no aprueba.

....

....

....

....

....

16

¿Qué *valores temporales* tienen los verbos en subjuntivo de las siguientes oraciones? Escribe en los huecos de cada oración diferentes marcadores temporales *(mañana, ahora, el día anterior,* etc.). Ten en cuenta que cada oración tiene más de un valor temporal.

a) No creo que .... María esté en casa.

....

....

b) No pensé que María estuviera en casa ....

....

....

c) No estoy seguro de que .... hayan llegado a Valencia.

....

....

d) No comentaron que .... el paquete hubiera llegado a las tres.

....

....

Ahora convierte las oraciones anteriores, todas negativas, en oraciones afirmativas. Fíjate en el tiempo verbal que utilizas en la oración subordinada.

No creo que ahora María esté en casa →
Creo que ahora María está en casa.

17

Completa las siguientes *oraciones de relativo*.

a) En el Museo Romántico de Madrid está la pistola con .... que Larra se suicidó.

b) Acudió mucho público al estreno de la obra, ... cual hace pensar en un gran éxito de taquilla.

c) Éste es el testigo .... declaración ha sido decisiva para resolver el conflicto.

d) Se ha ido a vivir con la hija, para .... compró la casa.

e) Léete los tres capítulos en .... que se habla de la felicidad.

f) ¿Conoces el parque .... donde vengo?

g) Éstas son las ideas contra las .... me manifiesto.

h) Fue por eso .... lo que lo hizo.

i) El hombre con .... se casó es más viejo que ella.

j) La actriz, a .... cual le regalaron el anillo de diamantes más caro del mundo, ha rechazado el papel para una película.

k) Escribió un artículo .... contenía tres párrafos.

l) Te veré en enero, ... vas a tener el niño.

m) Son temas sobre .... que ha hablado en las últimas dos conferencias.

n) Hubo muchos heridos en el accidente, entre los .... se encontraban algunos niños.

ñ) Ésta es la universidad .... estudió el presidente del Gobierno.

o) Me dijo que sí, ... cual es buena señal.

p) Éste es el camino por .... caminaremos.

q) Los abogados, ... llegaron tarde al juicio, no pudieron defender a su cliente.

r) Éste es el libro .... autor está exiliado.

s) Recuerdo el día .... nos conocimos.

18

Completa las oraciones poniendo el *verbo* en su forma adecuada.

a) Le da pena que .... *(haber)* tanta injusticia en el mundo.

b) Que alguien .... *(cambiar)* las leyes tendrá graves consecuencias.

c) Me da lástima que no .... *(poder, él)* venir con nosotros.

d) Que .... *(querer, él)* dejar la universidad sin acabar la carrera no tiene sentido.

e) Nos hace mucha ilusión que .... *(asistir, vosotros)* a nuestra boda.

f) Tiene mucha importancia para el país que el Gobierno .... *(convocar)* elecciones.

g) A Berta le da vergüenza que la gente .... *(gritar)* en lugares públicos.

h) ¿Te hizo mucha gracia que Luis te .... *(dar)* plantón el pasado lunes?

i) Tiene gracia que ahora .... *(salir, él)* contigo.

j) Le dio mucha rabia que su equipo .... *(perder)* el partido.

1. ¿Qué tiempo y modo has usado?

....

....

2. ¿Cuál es el sujeto de estas oraciones?

....

....

3. Escríbelas utilizando *el hecho de que* o *el que*.

a) Le da pena que haya tanta injusticia en el mundo.

EJEMPLO: *El que haya tanta injusticia en el mundo le da pena.*
El hecho de que haya tanta injusticia en el mundo le da pena.

b) ....

c) ....

d) ....

e) ....

f) ....

g) ....

h) ....

i) ....

j) ....

19

Completa las oraciones con las *preposiciones por* o *para*.

a) Iremos a Portugal .... la autovía.

b) La propuesta fue discutida .... todos los asistentes a la reunión.

c) Se necesita dinero .... el viaje.

d) Terminaremos el trabajo .... primavera.

e) Han enviado el informe .... fax.

f) Lo han condenado .... ladrón.

g) A las siete voy .... tu casa.

h) Saldremos .... no quedarnos en casa.

i) Ha comprado el coche .... 3.000 euros.

j) Ha conseguido la beca .... su gran trabajo.

k) Tenemos reservada una mesa .... mañana.

Señala en qué oraciones tienen las preposiciones los valores siguientes.

PARA

finalidad: ....

destino: ....

tiempo: ....

POR

medio: ....

agente: ....

finalidad: ....

tiempo: ....

espacio: ....

causa: ....

precio: ....

20

***Autoevaluación.* Elige la respuesta correcta.**

1. Dice que .... a la fiesta unos doscientos invitados.

   a) habrían venido b) habrán venido c) hubieran venido

2. Le hicieron un buen regalo .... haberse portado bien.

   a) para b) a c) por

3. Recogieron dinero para la .... de regalos.

   a) comprar b) compra c) comprando

4. El hecho de que .... conocerte no significa que te den el puesto.

   a) quieran   b) quieren   c) quisieran

5. Para .... profesor, es poco simpático.

   a) sido   b) siendo   c) ser

6. Nos han enviado la carta .... correo electrónico.

   a) por   b) para   c) en

7. No comprendo los motivos .... los que se queja.

   a) en   b) por   c) a

8. ¡Ojalá .... la carrera mañana!

   a) hubiéramos ganado   b) ganemos   c) ganaremos

9. Necesitan la .... de algún banco para terminar la investigación.

   a) financia   b) financiación   c) financiamiento

10. El que .... con nosotros todos los días indica que quiere enterarse de algo.

    a) hable   b) habla   c) hablara

11. .... al alto número de accidentes, ha aumentado la vigilancia en las carreteras.

    a) Dado   b) Puesto   c) Debido

12. .... ir a tu casa, me quedaría allí a comer.

    a) De   b) A   c) Por

13. He comprado un libro .... ti.

    a) con   b) para   c) de

14. Reprobamos que los jóvenes actuales .... tan desordenados.

    a) son   b) serán   c) sean

15. Las ayudas públicas .... las que se ha beneficiado han sido malgastadas.

 a) de b) a c) por

16. Han engañado a la gente para evitar las ....

 a) protestaciones b) protestaduras c) protestas

17. Pasaré .... tu casa para que nos vayamos juntos.

 a) de b) a c) por

18. La hipótesis .... la que tanto insiste el conferenciante no puede demostrarse.

 a) en b) por c) de

19. No conduciré .... me lo pidas.

 a) si no b) como c) a menos que

20. Hemos conseguido el cuadro en la subasta .... 4.800 euros.

 a) de b) a c) por

21

Escribe en *estilo indirecto* y en pasado el diálogo.

Pedro y Tomás están sentados en la terraza de un bar:

PEDRO: Te voy a explicar por qué te he hecho venir hasta aquí.

TOMÁS: *(con mucha curiosidad)* Cuéntame. ¿Qué te ha pasado?

PEDRO: Nada malo. Tengo un problema que no sé cómo resolver.

TOMÁS: Puedes confiar en mí.

PEDRO: Hace dos meses conocí a una chica.

TOMÁS: No me habías dicho nada. ¿Cómo se llama?

PEDRO: Eso es lo de menos. La cuestión es que estoy muy enamorado y la perderé si no consigo dinero.

TOMÁS: ¿Cree que eres rico?

PEDRO: No es eso. Le prometí que la invitaría a Italia en las vacaciones.

TOMÁS: ¡Ah! Entiendo. Tienes que pagar el viaje y no tienes dinero.

PEDRO: Has dado en el clavo. ¿Podrás prestarme tú dinero para esta noble acción?

TOMÁS: Yo te lo prestaría, pero en estos momentos no puedo. Además, creo que no es conveniente que la engañes. Si ella te quiere, debe entenderlo. Si no, se acabó todo y ya está.

PEDRO: *(gritando)* No puedes decirme eso. Si ella me deja, me moriré. ¿Es que nunca has estado enamorado?

TOMÁS: Lo he estado, pero nunca he ido engañando a nadie.

PEDRO: Está bien. Todo lo que me ocurra será culpa tuya. Discúlpame por haberte hecho venir hasta aquí. Creía que éramos amigos.

TOMÁS: Y lo somos, Pedro.

22

Escribe los *artículos* que faltan en los siguientes textos. En muchos casos pueden no ser necesarios.

I. Para ser .... (1) buen cocinero, es necesario pasar .... (2) horas y .... (3) horas entre .... (4) cazuelas y .... (5) comida. .... (6) gente suele decir que .... (7) hombres son .... (8) mejores cocineros que .... (9) mujeres. Ellas cocinan más y peor, mientras que ellos pasan .... (10) menos horas en .... (11) cocina pero hacen .... (12) comidas más exquisitas. No carece de .... (13) fundamento esta idea, ya que hay .... (14) más cocineros famosos que .... (15) cocineras. De cualquier modo, ... (16) buen cocinero debe ser creativo y conocer .... (17) mayor número de .... (18) recetas de .... (19) todo tipo de .... (20) cocina.

II. Otilia es portuguesa y ha venido a España a aprender .... (1) español. Quiere ser .... (2) guía turística en Portugal. Sabe que a .... (3) españoles les gustan mucho .... (4) playas de ....(5) sur de Portugal, ... (6) comida portuguesa y .... (7) ciudades. Es verdad que .... (8) españoles prefieren ir en .... (9) coche que en .... (10) viajes organizados, pero hay muchos que quieren conocer .... (11) país a fondo y, para ello, contratan .... (12) guía que les vaya explicando .... (13) historia de .... (14) cada ciudad. Otilia conoce muy bien .... (15) costumbres portuguesas y .... (16) historia de su país. Quiere transmitir a .... (17) españoles ese amor por .... (18) belleza de Portugal y nada mejor que hacerlo en .... (19) lengua de .... (20) turistas. Cree también que .... (21) jóvenes españoles deben acercarse a .... (22) país vecino para conocer otra cultura y otra lengua, de modo que se fomente en España desde .... (23) educación secundaria .... (24) estudio de .... (25) lengua y cultura portuguesas.

23

Lee las siguientes oraciones:

a) *Juan preparó la cena.*

b) *Fue Juan quien preparó la cena / Quien preparó la cena fue Juan.*

c) *Fue la cena lo que preparó Juan / Lo que preparó Juan fue la cena.*

1. ¿Cuál es la diferencia entre la oración a) y las oraciones b) y c)?

....

....

2. Escribe con otras palabras las oraciones del grupo b) sin que cambie su significado.

....

....

3. Transforma ahora las siguientes oraciones utilizando estructuras enfáticas para resaltar o dar mayor importancia a las partes subrayadas. No olvides usar distintos pronombres relativos.

a) Celebraré mi cumpleaños el domingo.

....

....

b) Hemos ido al bingo con unos amigos.

....

....

c) Enviaron la denuncia al director.

d) Pedro se quedó en casa.

e) Susana habla con Gonzalo sobre el libro.

24

Explica el valor de los *tiempos verbales* y el significado de los siguientes grupos de oraciones.

a) Te acompaño con mucho gusto.
b) Te acompañaría con mucho gusto.
c) Te acompañaré con mucho gusto.
d) Te habría acompañado con mucho gusto.

e) Por aquellos años vivían en la casa veinte vecinos.
f) Por aquellos años habían vivido en la casa veinte vecinos.
g) Por aquellos años vivirían en la casa veinte vecinos.
h) Por aquellos años habrían vivido en la casa veinte vecinos.

....

....

....

....

i) Creo que mañana llegaremos a los 15º C.

j) Creo que mañana habremos llegado a los 15º C.

k) Creo que mañana llegamos a los 15º C.

....

....

....

l) Hasta los cuarenta años Ana ha trabajado como abogada.

m) Hasta los cuarenta años Ana había trabajado como abogada.

n) Hasta los cuarenta años Ana habrá trabajado como abogada.

....

....

....

25

Escribe las siguientes *oraciones compuestas* utilizando el nexo que aparece debajo de cada una de ellas.

a) Luis escribió un artículo en el periódico porque quería que la opinión pública conociera el escándalo.

(a fin de) ....

b) Nunca me llegaron tus cartas porque cambié de domicilio.

(al) ....

c) No te dejaré el coche si no me lo cuidas.
(a condición de) ....

d) Habiendo salido pronto de casa, llegamos tarde.

(a pesar de) ....

e) Si hubiéramos conocido la noticia a tiempo, no habríamos salido de viaje.

(de) ....

f) Invertirá su dinero en esa empresa sólo si su asesor financiero se lo aconseja.

(siempre que) ....

g) He perdido el libro de poesía con poemas que me hacían llorar.

(cuyo) ....

h) La empresa tiene muchos beneficios, pero no contrata a más empleados.

(por) ....

i) Cuanto menos hace, menos quiere.

(aun) ....

j) Acepté el trabajo no porque me gustara, sino porque necesitaba dinero.

(aunque) ....

k) Como no asistió a la subasta, no compró el cuadro.

(si) ....

26

Completa la tabla *formando los verbos* a partir de los adjetivos que aparecen en la primera columna. Después, forma sustantivos a partir de esos verbos siempre que sea posible.

adjetivo	verbo	sustantivo
agudo	*agudizar*	*agudización*
azul		
barato		
bello		
cómodo		
corto		
duro		
familiar		
frío		
grande		
húmedo		
ideal		
largo		
mudo		
oscuro		
pálido		
próximo		
rico		
rojo		
vulgar		

¿Cómo has formado los verbos?

....

....

....

27

Escribe las *preposiciones* que faltan en el siguiente texto.

(1) .... la Edad Media, alrededor (2) .... el año mil, los europeos creían que el mundo se iba (3) .... acabar, (4) .... lo que comenzaron muchas peregrinaciones (5) .... lugares santos como Jerusalén, Roma o Santiago de Compostela. Los peregrinos consideraban que (6) .... la peregrinación sus pecados serían perdonados, de modo que, (7) .... caso (8) .... morir, irían directamente (9) .... el cielo, como se cree (10) .... la religión cristiana.

La ruta (11) .... llegar (12) .... Santiago de Compostela se conoce (13) .... el nombre (14) .... Camino de Santiago, muy frecuentado (15) .... millones (16) .... personas (17) .... la Edad Media (18) .... nuestros días. El recorrido se inicia (19) .... Francia y se adentra (20) .... España (21) .... los Pirineos. Atraviesa España (22) .... el norte (23) .... este (24) .... oeste, recorriendo las autonomías (25) .... Aragón, Navarra, La Rioja, Castilla y León y Galicia.

(26) .... la actualidad mucha gente recorre el Camino de Santiago (27) .... pie o (28) .... bicicleta, e inicia la marcha (29) .... cualquier punto (30) .... el recorrido, dependiendo (31) .... los trayectos que se quieran realizar. (32) .... lo largo (33) .... el Camino existen numerosos albergues y otros lugares (34) .... los que pueden pasar la noche los caminantes (35) .... pagar nada. (36).............. ello, cada persona debe acreditar su condición (37) .... peregrino (38) .... un carné o certificado que se expide (39) .... el lugar (40) .... el que se parte.

Varios motivos impulsan (41) .... la gente (42) .... realizar el Camino. (43) .... unos lo más importante es la cuestión religiosa; (44) .... otros el recorrido supone una reflexión (45) .... su propia vida o un modo (46) .... conocer (47) .... otras personas. Muchos caminantes van (48) .... grupo (49) .... hacer senderismo (50) .... la vez que van conociendo lugares y monumentos históricos. Es una buena excusa también (51) .... hacer amigos y, en definitiva, (52) .... pasarlo bien.

28

Escribe los verbos del siguiente texto en el *tiempo* y *modo* convenientes. El texto está en pasado.

Cuando Luis (1) .... *(tener)* cinco años, su familia y él (2) .... *(viajar)* mucho porque su padre (3) .... *(cambiar)* de trabajo con mucha frecuencia. Antes de que Luis (4) .... *(nacer)*, los padres (5) .... *(vivir)* en Sevilla durante varios años. Como la empresa donde (6) .... *(trabajar)* el padre (7) .... *(cerrar)*, la familia (8) .... *(trasladarse)* a Málaga. La madre (9) .... *(pensar)* que allí (10) .... *(tener, ellos)* más oportunidades.

Luis (11) .... *(nacer)* en un bonito piso cerca del mar. A los pocos meses de (12) .... *(venir, él)* al mundo, de nuevo (13) .... *(tener, ellos)* que trasladarse. Esta vez (14) .... *(irse, ellos)* a Barcelona, porque el padre no (15) .... *(ganar)* mucho dinero en esa empresa. (16) .... *(mudarse, ellos)* cuatro veces en menos de dos años.

La madre (17) .... *(estar)* un poco harta de que su marido (18) .... *(cambiar)* tanto de trabajo. (19) ....

(tener, ellos) dos niños y (20) .... *(necesitar)* un poco de tranquilidad. (21) .... *(hablar, ella)* con su marido y (22) .... *(decidir, ella)* buscar un trabajo. (23) .... *(creer, ella)* que si (24) .... *(ganar)* dinero los dos, la economía familiar (25) .... *(ir)* mejor. (26) .... *(buscar, ella)* una guardería para que sus hijos (27) .... *(estar)* bien cuidados mientras ellos (28) .... *(trabajar)*.

Durante tres años (29) .... *(permanecer, ellos)* en el mismo sitio. Los niños (30) .... *(ir)* a la escuela y (31) .... *(adaptarse)* al lugar. Aunque (32) .... *(vivir, ellos)* en un piso de alquiler a las afueras de un pueblo, (33) .... *(conseguir)* ahorrar algo de dinero. Los padres (34) .... *(arriesgarse)* a comprar un piso: con el dinero del alquiler (35) .... *(pagar)* el crédito y (36) .... *(tener)* una casa en propiedad. (37) .... *(buscar, ellos)* pisos que (38) .... *(estar)* a la venta por la zona hasta que (39) .... *(encontrar)* uno que (40) .... *(adaptarse)* a sus necesidades. Al mes siguiente, (41) .... *(irse, ellos)* a vivir allí, donde (42) .... *(quedarse)* muchos años.

Ahora Luis no (43) .... *(recordar)* nada de las casas donde (44) .... *(vivir)* antes de los cinco años.

29

En cada uno de los siguientes grupos hay una oración incorrecta. ¿Sabes cuál es? *Corrígela*.

a) Vimos los coches aparcados en la calle.

La aseguró que jamás lo había visto.

La policía ha descubierto al sospechoso.

b) Con Emilio fue que vine en el tren.
   La policía encontró al sospechoso durmiendo en su casa.
   Está descontento porque nadie lo llama.

c) El pescado que hemos comido estaba muy fresco.
   Nos gusta el cine al que vamos todas las semanas.
   Este ave vuela demasiado bajo.

d) Hablé con Ana, quien me dijo lo que había ocurrido.
   Han inaugurado la carretera, por la cual se llegará antes a Zaragoza.
   Hubieron muchas manifestaciones durante las elecciones.

e) La catedral cuyas vidrieras vemos es la de Burgos.
   El abrigo me gusta, pero no sé si comprármele.
   Dudé pronto de su comportamiento.

f) Tengan en cuenta de que mañana lloverá.
   Estoy segura de que mañana lloverá.
   No hay necesidad de que mañana llueva.

g) Es un libro de gran interés e importancia económica.
   Veo niños en el parque.
   Le agradecemos que nos ha enviado productos de su empresa.

h) Dijo que tenía dinero.
   Dijo que tendrá dinero.
   Dijo que tiene dinero.

i) Podrá encontrarlo dentro de la área temática que tratamos.
   De esta agua no beberé.
   No sé por qué estamos aquí.

j) No le gusta que le miren mal.
   Lo hizo pegando los trozos.
   Se desean comprar esas viviendas a bajo precio.

30

***Autoevaluación.* Elige la respuesta correcta.**

1. Fue en mayo .... estuvimos en Valencia.

   a) cuando b) en que c) que

2. Me ordenó que .... de allí, pero no le hice caso.

   a) salir b) saliera c) salga

3. No sabía cuántos libros .... en aquella casa.

   a) habrá b) habría c) habrá habido

4. .... más estudia, menos sabe.

   a) Contra b) Lo c) Cuanto

5. Voy .... que me haga una revisión el médico.

   a) de b) a c) en

6. Hay .... chico esperándote en la puerta.

   a) un b) -- c) el

7. Me dijo que no creía que .... a llover.

   a) iría b) fue c) fuera

8. Fue Silvia .... me avisó de la llegada del tren.

   a) que b) quien c) a quien

9. Escribió la carta .... le habían enseñado.

   a) como b) si c) aunque

10. .... lunes voy al gimnasio.

    a) Unos b) -- c) Los

11. Corría .... mí cuando tropezó.

    a) de b) hacia c) hasta

12. Han prohibido a los senadores .... declaraciones a la prensa.

    a) hacer b) hagan c) hacen

13. Fue en Barcelona .... estuvimos el fin de semana pasado.

a) que | b) en el que | c) donde

14. .... el libro, los estudiantes comenzaron el debate.

a) Leído | b) Leyendo | c) Leer

15. El director del banco insistió .... que no haría declaraciones.

a) por | b) de | c) en

16. .... mucho dinero que tenga, no es feliz.

a) Por | b) De | c) Para

17. Espérame en .... casa.

a) la | b) una | c) --

18. Fue una mesa .... se compró.

a) lo que | b) la que | c) que

19. Preguntó .... no quería votar.

a) que | b) donde | c) por qué

20. El juez hizo que el acusado .... su coartada.

a) explicar | b) explicaba | c) explicara

31

Relaciona cada oración con la explicación que le corresponda. Fíjate en que lo único que cambia en las oraciones es la *preposición*.

a) Te espero a las tres.
b) Te espero hacia las tres.
c) Te espero hasta las tres.

1) Si llegan las tres, me iré.
2) Estaré esperándote un poco antes y un poco después de las tres.
3) Serán las tres en punto cuando yo te esté esperando.

d) Por octubre terminaré el trabajo.
e) En octubre terminaré el trabajo.
f) Para octubre terminaré el trabajo.

4) Acabaré el trabajo antes de que llegue octubre.
5) Terminaré el trabajo antes de octubre, durante el mes de octubre o después del mes de octubre.
6) Será en el mes de octubre, no antes ni después, cuando yo termine el trabajo.

Ahora, trata de explicar tú las siguientes oraciones.

1) Caminamos por el parque.
2) Caminamos al parque.
3) Caminamos hasta el parque.

....

....

....

4) Estoy por llamarte por teléfono.
5) Estoy para llamarte por teléfono.

....

....

32

Forma el rompecabezas. Construye *oraciones compuestas* a partir de las siguientes oraciones simples.

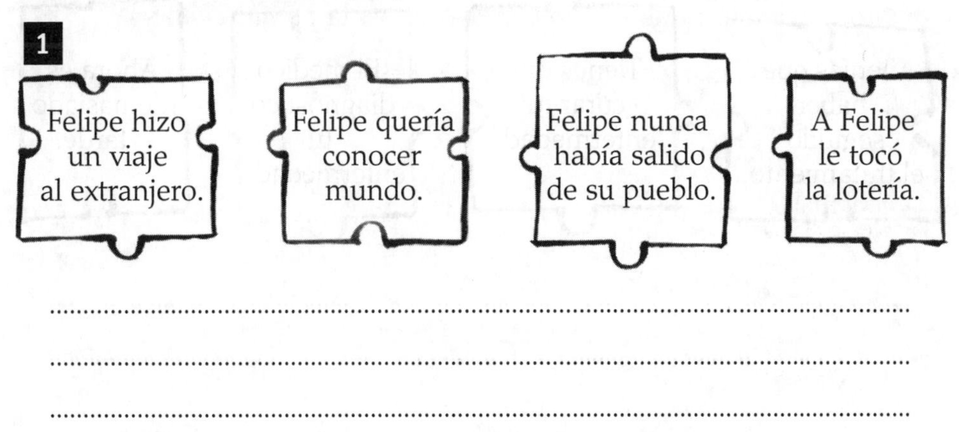

....

....

....

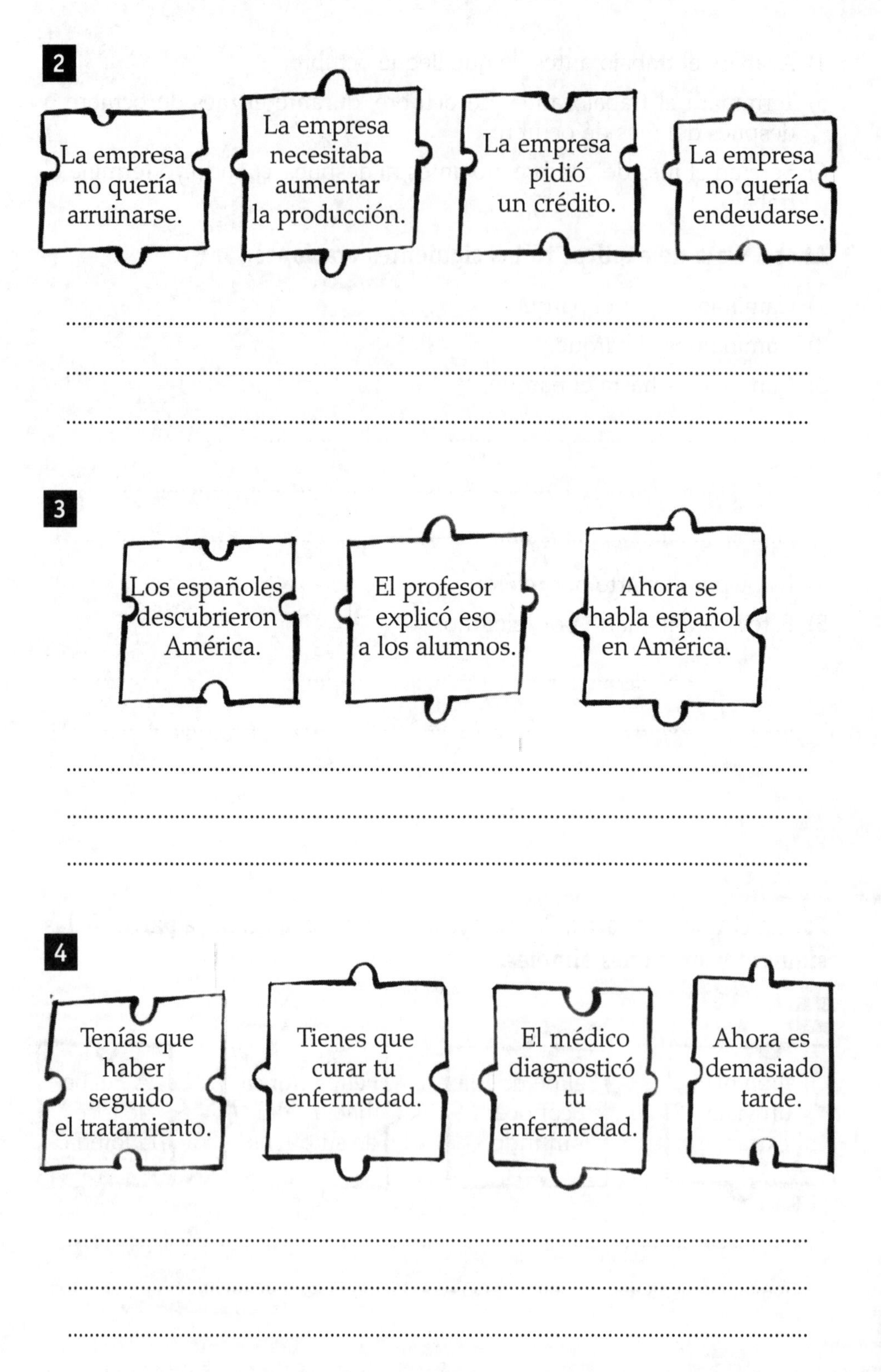
2
La empresa no quería arruinarse.
La empresa necesitaba aumentar la producción.
La empresa pidió un crédito.
La empresa no quería endeudarse.
3
Los españoles descubrieron América.
El profesor explicó eso a los alumnos.
Ahora se habla español en América.
4
Tenías que haber seguido el tratamiento.
Tienes que curar tu enfermedad.
El médico diagnosticó tu enfermedad.
Ahora es demasiado tarde.

33

***Forma la palabra* adecuada a partir de la que aparece entre paréntesis.**

a) Es .... *(lamentar)* que todavía haya tanta injusticia en el mundo.

b) El Gobierno ha aprobado nuevos presupuestos para la investigación .... *(ciencia).*

c) Estamos buscando un pueblo poco .... *(poblar).*

d) Este año la literatura .... *(Alemania)* tiene más seguidores en los países hispanos.

e) Al final del congreso habló el .... *(organizar).*

f) ¿Cómo has conseguido la .... *(blanco)* de estas sábanas?

g) Es un país muy .... *(montaña),* por lo que hay muchos problemas en las carreteras.

h) El .... *(guitarra)* nos deleitó con una agradable velada.

i) Después de tantas manifestaciones, las calles han vuelto a la .... *(normal).*

j) El .... *(vigilar)* nos prohibió el paso.

k) Fue al médico porque tenía problemas .... *(intestino).*

l) La .... *(inaugurar)* del edificio tuvo lugar el día 3 de mayo.

m) Puse el periódico en el .... *(revista).*

n) Ayer el ministro se .... *(responsable)* de la crisis de su ministerio.

ñ) Me acaban de dar un .... *(codo)* en la espalda.

34

Completa el texto con los *pronombres* que faltan.

Hace tres días mi jefe .... (1) hizo llamar para hablar con .... (2). Acudí a su despacho y allí .... (3) vi detrás de una enorme mesa. La empresa iba a lanzar un nuevo producto y .... (4) propuso encargar.............. (5) personalmente de la publicidad. .... (6) no .... (7) esperaba esta noticia y .... (8) puse muy nerviosa. Tuve que sentar.............. (9) en una silla. Mi jefe no paraba de mirar.............. (10). "Tranquilíza.............. (11). .... (12) harás muy bien porque eres una buena publicista", ... (13) dijo. No .... (14) contesté. Llamó a su secretaria para que .... (15) trajera los archivadores con toda la información sobre el producto. Después de entrar en el despacho, ... (16) .... (17) puso a mi lado. Cuando vi tantas carpetas y cajas archivadoras, ... (18) di cuenta del trabajo que tenía por delante. Mi jefe .... (19) animó. Salí de allí y .... (20) dirigí a mi despacho.

Ese día estaba un poco nerviosa e ilusionada, por lo que no podía concentrar.............. (21). Llamé a una amiga para comer con .... (22) y así poder contar.............. (23) la nueva noticia. .... (24) aceptó y .... (25) vimos dos horas más tarde en un restaurante. .... (26) dio la enhorabuena por el nuevo proyecto. .... (27) dijo que la campaña publicitaria sería tan buena como las que había hecho en otras ocasiones. .... (28) gustó mucho oír .... (29) porque .... (30) sentí más segura. .... (31) agradecí mucho esa confianza que tenía en .... (32) y pensé que no podía defraudar.............. (33). .... (34) invité a comer; era .... (35) menos que podía hacer por .... (36). Salimos del restaurante y .... (37) despedimos.

Regresé a mi oficina y allí comencé a meter.............. (38) en el mundo del producto que íbamos a lanzar con el fin de comenzar a diseñar .... (39) antes posible la campaña publicitaria.

35

Fíjate en las siguientes *oraciones finales* y responde a las preguntas.

Estudio para conseguir un buen trabajo.
Estudio para que mis padres estén orgullosos de mí.

a) ¿Qué modos verbales se han usado en ellas?

....

b) ¿Cuál es el sujeto del infinitivo en la primera oración?

....

1. ¿Por qué se usa el infinitivo en las siguientes oraciones?

a) Le han dado dinero para comprarse un coche.

....

b) Se prohibió fumar en la casa para evitar el olor a tabaco.

....

c) Hay mucho ruido para concentrarme.

....

2. Utiliza el infinitivo en las siguientes oraciones siempre que sea posible.

1) Hay que rellenar muchos papeles para que pidamos un préstamo.

....

2) Han avisado a Ana para que haga una entrevista.

....

3) Los periodistas le rodearon para que respondiera a las preguntas.

....

4) Caminamos por el parque para que los niños hagan ejercicio.

....

5) Se construyeron muchas casas para que obtuvieran dinero fácilmente.

....

6) Me han concedido cinco días libres para que cuide de mi madre.

....

7) Luis fue a hablar con su jefe para que le subiera el sueldo.

....

8) Enviaron libros a la editorial para que fueran publicados.

....

9) Hay demasiada gente para que sea atendida bien.

....

36

En estas *expresiones fijas* falta la *preposición*. Se han clasificado en grupos según la preposición que llevan. Escríbela en el recuadro. Después, lee las definiciones que te damos al final del ejercicio, encuentra la que corresponde a cada expresión y escribe el número junto a ella.

EJEMPLO:

ENTRE

***entre** rejas: 3*

.... horas:

.... algodones:

.... oídas:

.... batalla:

.... pitiminí:

.... parar un tren:

.... largo:

.... dar y tomar:

.... ruedas:

.... el tapete:

.... seguro:

.... cada dos por tres:

.... cántaros:

.... corto plazo:

.... los pelos:

.... amor al arte:

.... las buenas:

.... líneas generales:

.... pelotas:

.... cartel:

.... el agua al cuello:

.... pelos y señales:

.... viento fresco:

.... blanca:

.... pies ni cabeza:

.... comerlo ni beberlo:

.... la corriente:

.... las cuerdas:

.... viento y marea:

.... el moño:

.... la vista:

.... la bandera:

.... ya:

.... cero:

.... lejos:

Definiciones:

1. Sin correr ningún riesgo.
2. Delicado, de poca importancia.
3. En la cárcel.
4. Con muchas dificultades e inconvenientes.
5. Entre una comida y otra; por ejemplo, comer durante ese espacio de tiempo.
6. Con frecuencia.
7. A gran distancia.
8. En un plazo de tiempo breve.
9. Muy lleno de gente.
10. Para dentro de mucho tiempo.
11. A última hora, con dificultades.
12. En abundancia y con fuerza. Se utiliza para indicar una forma de llover.
13. Que se sabe no por conocimiento directo, sino por haber oído hablar a alguien de ello. Por ejemplo, se dice de una noticia.
14. Voluntariamente, sin motivo o justificación aparente.
15. Sin esperarlo.

16. Fórmula de saludo para despedir a alguien que se espera ver en un espacio de tiempo indeterminado.
17. Con desprecio, con enfado; por ejemplo, para despedir a una persona, en habla coloquial.
18. Desde el principio.
19. Sin dinero.
20. Sin problemas, muy bien.
21. Sin cobrar nada, sin obtener beneficio; por ejemplo, cuando se realiza un trabajo.
22. Que se está representando; por ejemplo, un espectáculo.
23. Sin detalle, de forma muy general.
24. Con detalle.
25. De poco valor, que se usa para trabajar o para todos los días. Por ejemplo, se aplica a la ropa.
26. Ahora mismo.
27. Con excesivos cuidados y atenciones.
28. En abundancia.
29. Sin sentido.
30. De forma descubierta.
31. En contra de la opinión general.
32. Desnudo, en habla coloquial.
33. Muy harto.
34. A pesar de cualquier dificultad.

37

Escribe los verbos del siguiente texto en el *tiempo* y *modo* adecuados. El texto está en pasado.

De día y de noche (1) .... *(ir, él)* por la ciudad buscando una mirada. (2) .... *(vivir, él)* nada más que para esa tarea, aunque (3) .... *(intentar)* hacer otras cosas o (4) .... *(fingir)* que las (5) .... *(hacer)*, sólo (6) .... *(mirar)*, (7) .... *(espiar)* los ojos de la gente, las caras de los desconocidos, de los camareros de los bares y los dependientes de las tiendas, las caras y las miradas de los detenidos en las fichas. El inspector (8) .... *(buscar)* la mirada de alguien que (9) .... *(ver)* algo demasiado monstruoso para ser suavizado o desdibujado por el olvido, unos ojos en los que (10) .... *(tener)* que perdurar algún rasgo o alguna consecuencia del crimen, unas pupilas en las que (11) .... *(poder)* descubrirse la culpa sin vacilación, tan sólo escrutándolas, igual que (12) .... *(reconocer)* los médicos los signos de una enfermedad acercándoles una linterna diminuta. Se lo (13) .... *(decir)* el padre Orduña,"(14) .... *(buscar)* sus ojos", y lo (15) .... *(mirar)* tan fijo que el inspector (16) .... *(estremecerse)* ligeramente, casi como mucho tiempo atrás, aquellos ojos pequeños, miopes, fatigados, adivinadores, que lo (17) .... *(reconocer)* en cuanto él (18) .... *(aparecer)* en la Residencia, tan instantáneamente como él mismo, el inspector, (19) .... *(deber)* reconocer al individuo a quien (20) .... *(buscar)*, o como el padre Orduña (21) .... *(reconocer)* en él hacía muchos años el desamparo, el rencor, la vergüenza y el hambre, incluso el odio, su odio constante y secreto al internado y a todo lo que (22) .... *(haber)* en él, y también al mundo exterior.

ANTONIO MUÑOZ MOLINA, *Plenilunio* (texto adaptado).

38

Lee las siguientes *oraciones de relativo* y responde a las preguntas.

1. *El que busca halla.*
   Quien canta su mal espanta.
2. *El que quiera saber lo que vale un potro, que venda el suyo y compre otro.*
   Quien no te conozca que te compre.

a) ¿Cuál es la diferencia entre estas oraciones y las que conoces tú de relativo?

....

....

b) ¿Qué modos verbales se han usado?

....

c) ¿Cuál es la diferencia entre las oraciones de los dos grupos?

....

1. Lee ahora las oraciones siguientes e intenta explicar la diferencia con respecto a las del apartado anterior.

a) El que quiera venir que venga.
b) Quien suspenda se quedará sin vacaciones.
c) El que estudia aprueba.
d) Quien hace deporte está muy sano.

....

....

2. Escribe los verbos de las siguientes oraciones en el tiempo y modo adecuados.

a) Quien .... *(callar)* otorga.

b) El que .... *(estar)* libre de culpa que tire la primera piedra.

c) Quien te dijo eso te .... *(mentir)*.

d) El que .... *(avisar)* no es traidor.

e) El que .... *(terminar)* que salga de clase.

f) Quien bien te quiere te .... *(hacer)* llorar.

g) El que .... *(entrenar)* mucho gana la carrera.

h) Quien más tiene más .... *(querer)*.

i) El que .... *(querer)* salvar su vida la perderá.

j) El que .... *(llegar)* primero a la meta ganará la carrera.

k) Quien .... *(ganar)* la carrera que invite a una copa.

39

En cada uno de los siguientes grupos de tres oraciones hay una incorrecta. ¿Sabes cuál es? *Corrígela.*

a) La dije que no cruzara la calle.
Los vi al cruzar la calle.
Ordenó que cruzaran la calle.

b) Lo hizo tan bien que lo contrataron.
Estaba seguro de que conseguiría el trabajo.
Todavía siguen habiendo estudiantes que faltan mucho a clase.

c) Volver pronto, os estaré esperando.
Le han concedido la medalla al mérito civil.
Le escribiré a Ana lo antes posible.

d) Lucharán por conseguir mejores sueldos.
Han reconstruido la catedral que su pórtico data del siglo XIV.
Mientras hablaba se cayó el micrófono.

e) A Luis lo enseñé mi casa cuando vino a verme.
Me canso subiendo cuestas.
Se acordó de que tenía que hacer los deberes.

f) Ese mueble lo vi sacar de casa de Ana.
Ésa es la ventana que escapó el ladrón.
Juan no cayó en la trampa.

g) Compró una casa teniendo dos cuartos de baño.
Ese aceite no es de buena calidad.
De tanto usarlo, se ha roto el ordenador.

h) Salió corriendo de la casa.
Trabajando tanto como tú, ya sería millonario.
Vi una caja conteniendo bombones.

i) Me he comprado un libro también.
La hablé a María durante dos horas.
Juan explicó el porqué de su actuación.

j) *La Celestina* es anterior de *El Quijote.*
Compraos un caramelo cada uno.
Éste es el sitio donde nos conocimos.

40

***Autoevaluación.* Elige la respuesta correcta.**

1. Se ha criado .... algodones.

   a) con | b) entre | c) sin

2. Dijo a sus padres que quería ser ....

   a) guitarrista | b) guitarrero | c) guitarrín

3. .... no ir antes al médico, se puso muy enfermo.

   a) Por | b) Para | c) De

4. El profesor tenía la sospecha de que alguno de sus alumnos .... copiando.

   a) estuviera | b) esté | c) estaba

5. .... comenzó el invierno, he cogido tres resfriados.

   a) Cuando | b) Desde que | c) Hasta que

6. Visto que .... lloviendo, nos quedaremos en casa.

   a) está | b) esté | c) estará

7. .... tanto que ha crecido, no le valen los pantalones.

   a) Por | b) Para | c) De

8. La solución del conflicto va .... largo.

a) por b) para c) de

9. Antes de que te .... el teléfono, tienes que terminar las obras de la casa.

a) instalar b) instalen c) instalan

10. .... he dormido mucho, sigo teniendo sueño.

a) Aunque b) Si c) Como

11. La venta de regalos va .... ruedas.

a) con b) sobre c) en

12. .... dio una patada al balón.

a) Lo b) La c) Le

13. Buscó un libro que .... sobre la historia de España del siglo XV.

a) tratara b) trate c) había tratado

14. El día de Reyes es la fiesta .... todos los niños esperan con ansiedad.

a) lo b) los c) que

15. Paseábamos por la playa y vimos un hombre .... pelotas.

a) por b) en c) de

16. .... lavó la cara y las manos.

a) Le b) La c) Las

17. Ha adornado la casa para .... la Navidad.

a) celebre b) celebra c) celebrar

18. A Ana no .... han llamado todavía.

a) le b) la c) se

19. Nos vimos metidos en el lío .... comerlo ni beberlo.

a) sin b) con c) para

20. El juez está convencido de que el culpable no .... el hombre al que se está juzgando.

a) sea b) será c) es

41

Fíjate en los verbos de las siguientes oraciones.

PRESENTE

a) En 1808 *se produce* el alzamiento popular contra la invasión francesa.

b) Mañana *hacemos* un examen.

PRETÉRITO IMPERFECTO

c) Ahora *me iba* de vacaciones sin pensarlo un minuto.

d) Si pudiera, *me compraba* un coche nuevo.

e) *Quería* ver el vestido del escaparate.

PRETÉRITO INDEFINIDO

f) Esta mañana *me levanté* a las ocho.

g) Ana era abogada. *Estudió* en la mejor universidad del país y *obtuvo* las mejores calificaciones de su promoción.

PRETÉRITO PERFECTO

h) *He llamado* por teléfono ahora mismo.

i) La semana que viene ya *he redactado* el informe.

PRETÉRITO PLUSCUAMPERFECTO

j) Perdón, ¿qué me *habías dicho?* No te he entendido bien.

1. ¿Qué valor temporal tienen en cada oración los verbos que aparecen en cursiva?

....

....

....

2. ¿Qué otro tiempo verbal puede aparecer en esas oraciones? Escríbelas utilizándolo.

a) ....

b) ....

c) ....

d) ....

e) ....

f) ....

g) ....

h) ....

i) ....

j) ....

3. Explica el uso del presente, imperfecto, indefinido, pretérito perfecto y pluscuamperfecto en las oraciones del principio.

Presente: ....

Pretérito imperfecto: ....

Pretérito indefinido: ....

Pretérito perfecto: ....

Pretérito pluscuamperfecto: ....

42

Completa el texto con los *artículos* necesarios.

En .... (1) grandes ciudades se producen muchos accidentes de .... (2) tráfico a .... (3) año, algunos de .... (4) cuales resultan mortales. Madrid no es .... (5) excepción. De hecho, ... (6) número de .... (7) accidentes y de .... (8) atascos en .... (9) capital es mayor que en ninguna otra ciudad de España.

.... (10) compañías de .... (11) seguros españolas han decidido aumentar .... (12) primas de .... (13) pólizas de .... (14) seguros, dado que empiezan a perder .... (15) dinero y no pueden costear .... (16) reparaciones de .... (17) vehículos siniestrados. Es, sin duda, ... (18) mala noticia para .... (19) conductores españoles ya que, además de tener que quedarse .... (20) días sin .... (21) coche mientras lo reparan, tendrán que pagar más a .... (22) seguros.

.... (23) Sociedad Española de Automovilistas ha denunciado .... (24) subida de .... (25) seguros de .... (26) automóviles. Según declara su presidente, Pedro Rodríguez, ... (27) conductor español siempre es .... (28) perjudicado. Habría que preguntarse por qué España tiene .... (29) índice tan alto de .... (30) siniestralidad en .... (31) carreteras. Para .... (32) señor Rodríguez no hay .... (33) duda. .... (34) mal estado de .... (35) carreteras, ... (36) continuas obras que reducen .... (37) carriles de .... (38) autovías y .... (39) excesivo número de .... (40) curvas, debido a .... (41) deficiente diseño, contribuyen a que se produzcan muchos accidentes. Sólo en .... (42) pequeño porcentaje .... (43) accidentes se deben a .... (44) imprudencia de .... (45) conductores. Sobre .... (46) atascos de Madrid, añade Pedro Rodríguez que se trata de .... (47) cuestión todavía pendiente y que .... (48) ayuntamiento deberá resolver lo antes posible si se pretende mantener a Madrid entre .... (49) mejores ciudades de Europa.

Para .... (50) autoridades gubernamentales .... (51) versión de .... (52) hechos es bastante distinta. Según se asegura, España cuenta con .... (53) mejor red de .... (54) carreteras de Europa y sólo .... (55) despistes y .... (56) imprudencias de .... (57) conductores españoles constituyen .... (58) causa principal de .... (59) accidentes. Afirman además que .... (60) continuos atascos en .... (61) grandes ciudades son provocados por .... (62) ciudadanos, que se niegan a usar .... (63) transporte público. Declaran al mismo tiempo que Madrid no tiene tantos atascos como se publica en .... (64) prensa: hay .... (65) atascos como en cualquier otra ciudad europea.

43

Completa el texto con las *preposiciones* que faltan.

La evolución biológica (1) .... la Tierra duró millones (2) .... años frente (3) .... el puñado (4) .... siglos (5) .... los que se llevó (6) .... cabo el desarrollo técnico. La aparición (7) .... la inteligencia humana supuso la capacidad (8) .... inventar e imaginar, (9) .... lo que imprimió velocidad (10) .... el proceso. La tecnología digital lo acelera (11) .... manera formidable, pues nos adentra (12) .... el mundo (13) .... la realidad virtual. Los expertos definen (14) .... ésta como la simulación informática (15) .... el espacio tridimensional, pero (16) .... mi juicio la realidad virtual es algo mucho más amplio y se confunde (17) .... la vida (18) .... el ciberespacio. Lo característico (19) .... ésta es que se encuentra fuera (20) .... nuestra realidad vigente. No es que no exista, y tampoco existe sólo porque la imaginemos, sino que integra (21) .... la vez el mundo (22) .... la imaginación (23) .... lo real, eliminando (24) .... ambos las distancias físicas y aun las temporales, ya que transporta la información (25) .... la velocidad (26) .... la luz. La ciencia ficción y las películas (27) .... adolescentes han especulado mucho (28) .... la constatación (29) .... una existencia objetiva y autónoma (30) .... esa especie (31) .... nuevos cuerpos celestes que son los bites.

JUAN LUIS CEBRIÁN, *La red* (texto adaptado).

44

Escribe el siguiente texto evitando las numerosas repeticiones que en él aparecen mediante el uso de *pronombres relativos.*

Las autoridades sanitarias han enviado un informe. Según el informe, todos los niños tendrán que vacunarse contra la meningitis. Sólo se vacunarán los niños con una edad inferior a doce años. Durante varios años han muerto en el país muchos niños. Esos niños no estaban vacunados. La meningitis es una enfermedad. La enfermedad consiste en la inflamación de las membranas. Esas membranas envuelven el encéfalo y la médula espinal. Cualquier parte del cuerpo puede causar esta enfermedad. En esa parte del cuerpo se detecta una infección. Algunos padres no vacunarán a sus hijos. Esos padres tendrán que hablar con un inspector de salud. Los centros aparecerán publicados en distintos medios de comunicación. Los niños podrán ser vacunados sólo en algunos centros.

....

....

....

....

....

....

....

....

....

....

45

Escribe las siguientes *oraciones compuestas* utilizando la palabra que aparece debajo de cada una de ellas.

a) Si no conoces cómo es el hotel, no hagas la reserva.

(sin) ....

b) Te pusieron una multa al no respetar las señales de tráfico.

(de ahí que) ....

c) Como eras muy ambicioso, perdiste todos los amigos.

(por) ....

d) Si tienes muchos amigos, tendrás un tesoro.

(quien) ....

e) Cuanto más gana, menos dinero tiene.

(aunque) ....

f) Tus padres viven muy cerca, pero nunca los visitas.

(con) ....

g) Se expresa muy bien a pesar de tener pocos años.

(para) ....

h) Si se lo explicas bien, entenderá el problema.

(para) ....

i) Si el acusado no encuentra un buen abogado, irá a la cárcel.

(a menos que) ....

j) Tiene tan buen expediente académico que puede solicitar plaza en las mejores universidades.

(dado) ....

k) Mientras hablaba contigo por teléfono, presentí que algo malo ocurría.

(al) ....

46

Escribe los verbos del siguiente texto en el *tiempo* y *modo* adecuados. El texto está en pasado.

Cuando (1) .... *(llegar, yo)* a Estados Unidos por vez primera —(2) .... *(tener, yo)* ya treinta años—, yo no le (3) .... *(decir)* a nadie que ya (4) .... *(estar)* allí otras veces y bastantes años antes. Me (5) .... *(limitar)* a mirar los diferentes lugares que me (6) .... *(enseñar, ellos)*, reconociendo en cada ciudad cada esquina y cada calle —y, en cada estado que (7) .... *(atravesar, nosotros)*, cada rincón del paisaje—, pero, ya (8) .... *(decir, yo)*, yo no le (9) .... *(decir, yo)* a nadie que ya (10) .... *(estar)* allí otras veces y bastantes años antes. De haberlo hecho, seguramente me (11) .... *(tomar, ellos)* por loco o por un farsante.

Pero el asunto no (12) .... *(tener)* en realidad nada de extraño. Como tampoco lo (13) .... *(tener)* el hecho, para ellos misterioso, de que (14) .... *(saber, yo)* algunas veces los nombres de montañas y de ríos que mis propios acompañantes, nacidos en el país o afincados en él desde hacía años, (15) .... *(ignorar)*. Desde que (16) .... *(tener, yo)* memoria, y sin (17) .... *(salir)* nunca de Olleros —ni, por supuesto, de España—, yo (18) .... *(recorrer)* aquel país camino por camino y palmo a palmo.

(19) .... *(empezar, yo)* a hacerlo en el Minero, en aquellas butacas destartaladas que (20) .... *(acabar)* convertidas muchas tardes, a la

luz crepuscular de la pantalla, en los bamboleantes asientos de una carreta o de una diligencia que (21) .... *(cruzar)*, acechada por mil peligros, las polvorientas praderas del Oeste americano, y (22) .... *(seguir, yo)* haciéndolo al hilo de los relatos de aquellas viejas novelas arrugadas y sobadas por mil manos que (23) .... *(comprar, yo)* en el quiosco de Chamusca y que (24) .... *(cambiar)*, después de haberlas leído, por otras aún más sobadas. Novelas que (25) .... *(devorar, yo)* en las largas tardes muertas y amarillas del verano o, a la luz de una linterna, en el invierno, cuando me (26) .... *(ir)* a la cama.

JULIO LLAMAZARES, *Escenas de cine mudo* (texto adaptado).

47

Encuentra la *palabra prefijada* con significado opuesto al de la palabra que se da, también prefijada.

antigubernamental	....	bienhablado	....
heterosexual	....	hipertensión	....
infravalorar	....	macroconcierto	....
maxifalda	....	megaciudad	....
monocultural	....	monopartidismo	....
paleocristianismo	....	postoperatorio	....
posponer	....	subalimentado	....
subestimar	....	unicelular	....

Escribe ahora los pares de prefijos con significado opuesto.

....

....

48

Algunos verbos cambian de significado según la *preposición* con la que se combinen. Teniendo esto en cuenta, explica el significado de las siguientes oraciones.

a) Juan participó en el experimento.
Juan participó del experimento.

....

....

b) Ana y Juan coinciden con Laura en el bar.
Ana y Juan coinciden en la idea principal del libro.

....

....

c) Luis sueña con las vacaciones.
Luis sueña en las vacaciones.

....

....

d) Ana entiende de libros.
Ana entiende en libros.

....

....

e) Los alumnos hablan del profesor.
Los alumnos hablan con el profesor.
Los alumnos hablan al profesor.

....

....

....

49

En cada uno de los siguientes grupos hay una oración incorrecta. ¿Sabes cuál es? *Corrígela.*

a) Ésa es la terraza que se ve el mar.
A Luis le demostraré mi gratitud en la primera ocasión que se presente.
La acusaron sin causa.

b) La chica que estuve ayer con ella en la discoteca me ha invitado a su casa.
Tratan de ocultar las malas noticias.
Lo dijo porque quiso fastidiar.

c) Dime cómo lo han hecho.
Preguntaron dónde estaba la tienda.
Informaron al presidente de que haya habido un atentado.

d) Me gustaría saber por dónde se va al río.
Si habría un incendio, se produciría una catástrofe.
Aunque digas lo contrario, no iré.

e) Entre más dinero tienen, más avaros son.
Ese mueble lo vi sacar de casa de Juan.
Me alegro de que hayas venido.

f) No aceptará lo que le digan.
Sin esperarlo Daniel ha ganado la carrera.
En la reunión se hablaron de cosas importantes.

g) No tirad basuras a la calle.
El área de este triángulo es superior a la del cuadrado.
Los guantes los he cogido de donde estaban.

h) No sé si podré ir a cenar.
No entiendo el habla de los andaluces.
De Madrid a Sevilla se tardan cinco horas.

i) Hay que averiguar las causas de esa decisión.
Comenzaré por decirles que el país no funciona.
Recuerdo cuando lo vi por primera vez.

j) Vayámosnos de aquí porque tengo miedo.
Estas dos telas se diferencian sólo en el color.
Hay demasiadas águilas por este campo.

50

***Autoevaluación.* Elige la respuesta correcta.**

1. Estudia porque quiere llegar a ser .... abogado.

   a) un   b) el   c) --

2. El ministro de Agricultura no aceptó la solución de que se .... la producción láctea.

   a) reduzca   b) reduciría   c) redujera

3. .... terminar la comida comenzó el baile.

   a) Tan pronto como   b) Nada más   c) Apenas

4. El Gobierno trata de evitar que los empresarios .... en otros países.

   a) inviertan   b) invierten   c) invertirán

5. .... lo que le gusta divertirse, no se quedará en casa este fin de semana.

   a) Por   b) Para   c) Con

6. Cuando el ladrón se vio acosado .... la policía, se rindió.

   a) por   b) para   c) con

7. De lo mal .... está, ha ido al hospital.

a) como b) que c) tanto

8. Después de que .... de nevar, la gente salió a la calle.

a) deje b) dejaba c) dejara

9. Esta máquina se adapta .... cualquier tipo de corriente eléctrica.

a) de b) con c) a

10. .... llegas a tiempo, llámame.

a) Si b) Aunque c) Apenas

11. .... inglés, pero no entiende nada.

a) Habría estudiado b) Habrá estudiado c) Estudiaría

12. Los empresarios están pendientes de que el Gobierno .... subvenciones.

a) conceda b) concede c) concederá

13. .... ballenas son mamíferos.

a) Unas b) Las c) --

14. Las plantas se alimentan .... sales minerales.

a) de b) a c) en

15. Encontramos a .... profesores en la biblioteca.

a) -- b) los c) algún

16. Luis copió en el examen sin que se .... el profesor.

a) enterara b) enteraba c) entere

17. He prestado ya el libro .... fotografías ya has visto.

a) cuyo b) cuyas c) cuyos

18. La reunión .... la que ha asistido se celebró en Bilbao.

a) en b) de c) a

19. Me habrá costado .... dos euros.

a) unos b) unas c) los

20. .... el médico se lo aconseje, tomará esa medicina.

a) Siempre que b) Si c) Aunque

51

Forma el rompecabezas. A partir de las siguientes oraciones simples construye *oraciones compuestas*.

1

El deportista debe pasar muchas horas entrenando.

El deportista quiere obtener buenas marcas.

El deportista quiere participar en los Juegos. Ilímpicos.

El deportista no trabaja en ningún otro sitio.

....

....

....

2

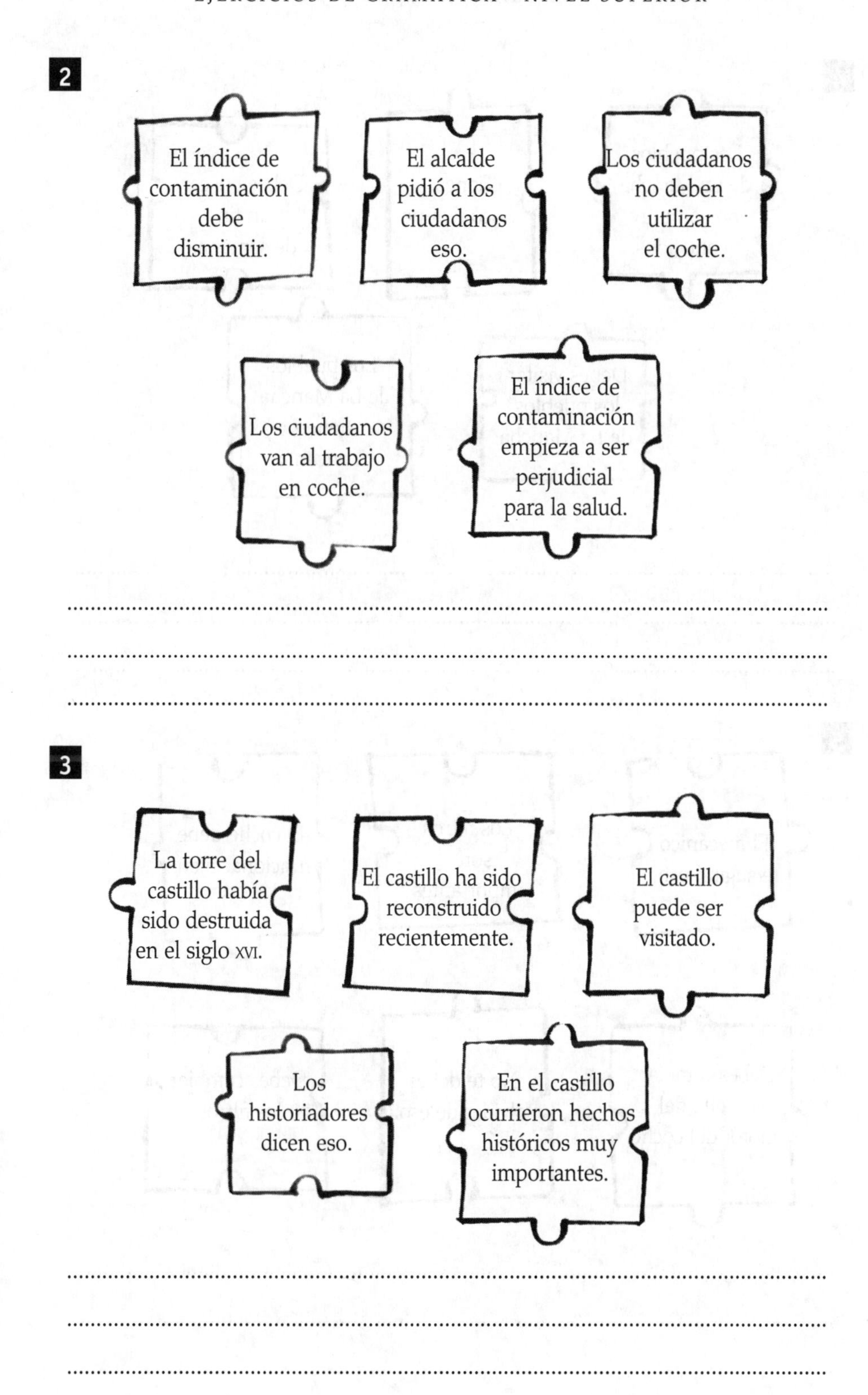
El índice de contaminación debe disminuir.
El alcalde pidió a los ciudadanos eso.
Los ciudadanos no deben utilizar el coche.
Los ciudadanos van al trabajo en coche.
El índice de contaminación empieza a ser perjudicial para la salud.
La torre del castillo había sido destruida en el siglo XVI.
El castillo ha sido reconstruido recientemente.
El castillo puede ser visitado.
Los historiadores dicen eso.
En el castillo ocurrieron hechos históricos muy importantes.

....

....

....

3

....

....

....

4

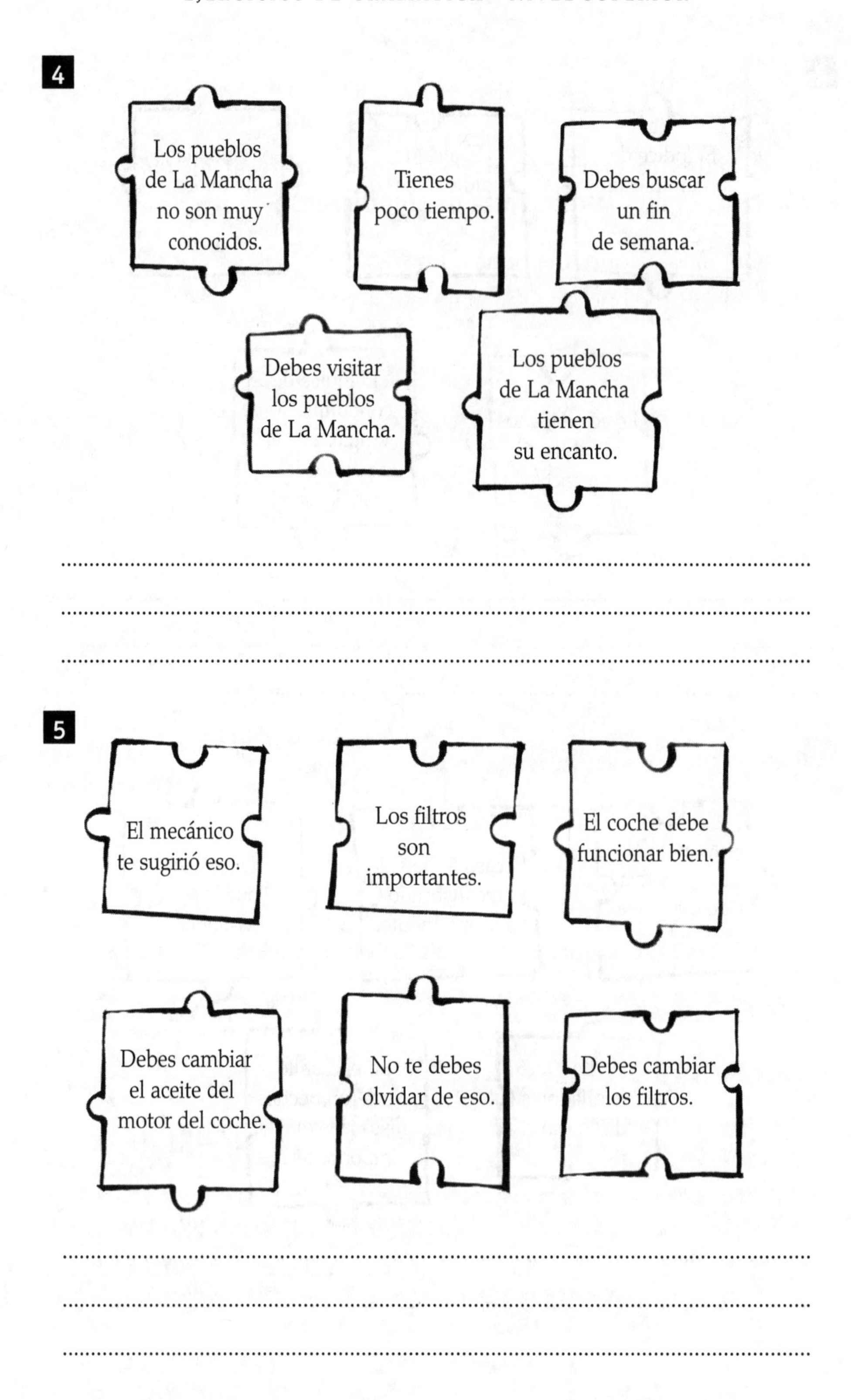
Los pueblos de La Mancha no son muy conocidos.
Tienes poco tiempo.
Debes buscar un fin de semana.
Debes visitar los pueblos de La Mancha.
Los pueblos de La Mancha tienen su encanto.
El mecánico te sugirió eso.
Los filtros son importantes.
El coche debe funcionar bien.
Debes cambiar el aceite del motor del coche.
No te debes olvidar de eso.
Debes cambiar los filtros.

....

....

....

5

....

....

....

52

En las siguientes oraciones el verbo puede aparecer en *indicativo* o *subjuntivo*. Explica la diferencia de significado.

a) Miguel no cree que Ana tiene dinero.
Miguel no cree que Ana tenga dinero.

....

....

b) Luis duda que Ana está enferma.
Luis duda que Ana esté enferma.

....

....

c) Parece que Laura es quinceañera.
Parece que Laura sea quinceañera.

....

....

d) Isabel se queja de que no la ascienden en su trabajo.
Isabel se queja de que no la asciendan en su trabajo.

....

....

e) Pedro no ve que la solución al conflicto es retirarse.
Pedro no ve que la solución al conflicto sea retirarse.

....

....

53

Las *oraciones condicionales* que aparecen a continuación presentan la misma estructura con distintos *tiempos verbales*. Explica la diferencia de significado.

a) Si los manifestantes no se retiran, la policía los arrestará.
Si los manifestantes no se retiran, la policía los arrestaría.

....

....

b) Si comprobamos los libros de cuentas, el tesorero se queda con varios millones procedentes de las aportaciones de los socios.
Si comprobamos los libros de cuentas, el tesorero se quedó con varios millones procedentes de las aportaciones de los socios.

....

....

c) Si me tocara la lotería, me iría ahora mismo a la playa.
Si me tocara la lotería, me iba ahora mismo a la playa.

....

....

d) Si hubiera ahorrado más, habría tenido dinero.
Si hubiera ahorrado más, tendría dinero.

....

....

e) Si no me equivoco, le habrá costado unos seis euros.
Si no me equivoco, le costaría unos seis euros.
Si no me equivoco, le costó unos seis euros.

....

....

....

54

Las palabras que aparecen a continuación constan de varios *afijos*. Encuentra las palabras de fases anteriores partiendo de la más simple.

S= sustantivo A= adjetivo V= verbo

a) S: .... >A: .... >V: .... >V: desindustrializar

EJEMPLO: *S: industria > A: industrial > V: industrializar > V: desindustrializar*

b) S: .... >V: .... > S: encarcelamiento

c) S: .... >V: .... > S: personificación

d) S: .... >V: .... >V: .... > S: desencadenamiento

e) S: .... >V: .... >V: desilusionar

f) S: .... > A: .... >V: .... > S: nacionalización

g) S: .... > A: .... > S: monumentalidad

h) A: .... >V: .... > A: .... > A: injustificable

i) S: .... >V: .... >V: .... > S: reestructuración

j) S: .... >V: .... > A: .... > A: inestimable

55

Completa el texto con los *pronombres* y *artículos* necesarios. Escribe los artículos en los espacios punteados y los pronombres en los rayados.

Daniel es argentino pero lleva .... (1) años viviendo fuera de su país. Desde su mayoría de .... (2) edad, decidió conocer otros países. ________ (3) dijo a sus padres que quería estudiar .... (4) carrera en Estados Unidos. Sus padres no ________ (5) aceptaron porque no sabían cómo iban a conseguir .... (6) dinero para pagar____ _____ (7) .... (8) estudios. Trataron de convencer________ (9) para que ________ (10) quedara en Argentina y estudiara en .... (11) universidades. Daniel no ________ (12) dio por vencido. Sabía que sus padres no tenían .... (13) medios económicos para ayudar____ ____ (14) y decidió trabajar a .... (15) vez que estudiaba informática en .... (16) universidad.

Después de cinco años, solicitó .... (17) beca para estudiar en Nueva York. No tenía .... (18) esperanzas porque ________ (19) habían presentado muchas solicitudes. Al final ________ (20) ________ (21) concedieron y decidió marchar________ (22). Su familia ________ (23) alegró mucho porque conocían desde hacía años .... (24) intenciones de Daniel.

En Nueva York alquiló .... (25) pequeño piso en .... (26) afueras, en .... (27) barrio modesto. No ________ (28) quedaba demasiado dinero después de pagar .... (29) alquiler todos .... (30) meses. Así, buscó .... (31) trabajo para .... (32) tardes y ________ (33) encontró en .... (34) restaurante.

Pronto destacó en .... (35) universidad por su creatividad en .... (36) diseño de .... (37) programas. Cambió .... (38) trabajo en .... (39) restaurante por otro en .... (40) empresa de .... (41) informática, donde ganaba mucho más y trabajaba menos horas. Cuando ________ (42) ________ (43) acabó .... (44) beca, ________ (45) planteó volver a Argentina, tal y como esperaba su familia. No tuvo que pensar________ (46) mucho tiempo porque dos empresas ________ (47) ofrecieron puestos de .... (48) trabajo muy importantes.

________ (49) comunicó a sus padres que ________ (50) quedaba en Nueva York, ya que nunca podría ganar en Argentina ________ (51) que allí; además tenía nuevas posibilidades profesionales. .... (52) padres ________ (53) entendieron y ________ (54) resignaron a ver a Daniel sólo en .... (55) vacaciones. A medida que .... (56) ingresos fueron aumentando, Daniel fue cambiando de .... (57) piso. Ahora vive en .... (58) barrio lujoso de Nueva York y ________ (59) ha anunciado en .... (60) prensa su boda con .... (61) hija de .... (62) familia adinerada.

56

En el siguiente texto hay varios errores en los *tiempos* y *modos verbales. Corrígelos.*

Las cámaras de un supermercado grabaron unas imágenes en las que apareciera un hombre robando. El guardia de seguridad le esperó en la puerta para interrogar al hombre cuando saldría. El guardia se acercó al ladrón antes de que hubiera salido y le pide que le siga. El hombre se negó al principio porque nadie pudiera obligarle a ir donde él no quería. El guardia le aconsejó que se sometía a una inspección si no quería que llamara a la policía. Este argumento convenció al ladrón y acompañó al guardia hasta una sala donde vio las imágenes que probaran el robo de varios productos del supermercado.

El ladrón aseguró que no robaba nada y que todo era un montaje. El guardia no lo creyó, porque lo había visto en las cámaras. El ladrón le animó a que le registraba, lo que hizo con mucho gusto el guardia. El registro duró varios minutos durante los cuales el guardia no encontró nada. Revisaba varias veces la ropa del supuesto ladrón y no había nada. Se preguntó qué hubiera hecho con los productos.

Como no tuviera ninguna prueba, dejó marchar al ladrón, que le miró con cierta ironía. El ladrón se envalentonó amenazando al guardia con denunciarle por falsas acusaciones, que podrán constituir graves daños para su conducta moral en el futuro. El guardia le aconsejó que saldría de allí como si nada habría pasado.

Después de que el ladrón se marcharía, el guardia recorrió los lugares donde había estado el ladrón. No encontró nada sospechoso. Estaba obsesionado por lo que ocurriera. Vio varias veces las grabaciones hasta que descubría el plan. El ladrón había cogido los productos y los escondió entre la ropa. Después se dirigiría a los servicios, donde los dejó. Mientras el guardia hablaba con él, un compinche había entrado en el supermercado para llevarse lo robado. Las grabaciones no podían acusar, así, a ninguno de los dos.

El guardia llamó a los dueños para recomendarles que instalen controles de seguridad en los servicios. Sólo así se evitaría que volvía a pasar lo mismo.

57

Escribe el siguiente texto evitando las numerosas repeticiones que en él aparecen mediante el uso de *pronombres* y eliminando los sujetos innecesarios.

Un señor fue a un banco porque el señor quería conocer qué productos financieros convenían más al señor. El director del banco dijo al señor que existían varias posibilidades. El señor podía elegir entre distintos fondos de inversión, acciones, bonos del tesoro o dejar el dinero del señor en depósito. El señor pidió al director que explicara al señor cada uno de los productos porque el señor no sabía nada de los productos financieros.

Durante más de dos horas el director estuvo hablando con el señor. El señor hacía continuas preguntas al director y a veces el señor no dejaba hablar al director. El director empezó a hartarse y preguntó al señor si el señor se había decidido ya. El señor se levantó y el señor dijo al director que el señor ya sabía lo que más convenía al señor, pero el señor no estaba seguro de que el señor quisiera invertir el dinero del señor. El señor sólo quería hablar con alguien durante un tiempo. El director, furioso, ordenó al señor que el señor saliera del banco del director y que el señor no volviera a aparecer por allí.

....

....

....

....

....

....

....

....

....

....

....

....

....

....

....

58

El siguiente texto tiene oraciones excesivamente cortas. Escríbelo construyendo *oraciones compuestas*.

Daniel y Teresa estaban de vacaciones. Iban a la playa. Querían descansar. El coche se estropeó en medio de la carretera. Hicieron autostop. Tenían que encontrar un taller. Querían arreglar el coche. Esperaron en la carretera. La carretera no era muy transitada. Pasó un coche. El coche los llevó al pueblo más cercano. Encontraron un taller. El mecánico se negaba a ver el coche. Intentaron convencerle. El mecánico aceptó. Les cobraría mucho dinero.

....

....

....

....

....

....

....

....

....

....

59

***Corrige* las siguientes oraciones.**

1) No te fíes de la gente a quien ves.
2) El tema que hablaremos mañana puede resultar muy interesante.
3) Por mucho que trabaja, no consigue el dinero suficiente para comprarse un coche.
4) Me gustan discutir los temas más interesantes.
5) Bajaba por las escaleras, cayéndome en el tercer piso.
6) No cerrad la ventana.
7) Veo los niños jugando en el parque.
8) Fue por eso que fuimos rápidamente a hablar con él.
9) Se compró una chaqueta estando rota.
10) Describe los lugares de la ciudad como si estuviera hablando con una persona visitando a la ciudad.
11) Me gustan que vengas a verme y que me traigas regalos.

12) Han pedido asilo político personas que en su lugar de origen fueron perseguidas por sus ideas.
13) Le aseguro de que valdrá la pena.
14) Lo más que sepamos, mejor estaremos.
15) Muchas personas viven aquí quienes no hablan español.
16) Es una buena señal que los gobiernos de todos los países se dan cuenta que las sociedades actuales son multiculturales.
17) No hablaremos de los temas que no estamos interesados.
18) Se promulgaron medidas para que los taxistas están más seguros en su trabajo.
19) Al niño lo han dado un fuerte golpe en el colegio.
20) Los padres llevan al niño al hospital, ingresándolo rápidamente.
21) Contra menos salgas, menos gente conocerás.
22) Cuando los países ricos distribuyen su riqueza, el mundo será más justo.
23) Si los universitarios sacan buenas notas, puedan encontrar un buen trabajo.
24) A él lo más importante era conseguir una casa.
25) La enseñanza de idiomas extranjeros es necesario para el desarrollo de los estudiantes.
26) Los estudios nos informan que cualquier niño tenga la capacidad de aprender.
27) Me interesan la venta de su casa y que la inmobiliaria no intervenga.
28) La mujer que el marido es escritor es muy conocida.
29) Antes que los periodistas divulgaran la noticia, el presidente comunicó su dimisión a los ciudadanos.
30) Los científicos han asegurado que este agua no es potable.
31) Los profesores deben mejorar a los programas para que sean más pedagógicos.
32) Hemos conocido a un chico el cual sabe mucho de informática.
33) La policía perseguía al delincuente, arrestándolo minutos después.
34) Me molestan que ellos griten y que hagan ruido.
35) La interesó mucho la noticia que acababa de oír y la grabó en una cinta.
36) El profesor se da cuenta de que a los estudiantes que les importa mantenerse el cuerpo en forma trabajan más en clase.

37) Sabía que no iba a ser fácil e inmediato estos cambios.

38) No iré a visitarla hasta que no me lo pedirá.

39) Entre más amigos tiene, más se aburre.

40) Sólo saldré con un chico sabiendo inglés.

60

***Autoevaluación.* Elige la respuesta correcta.**

1. .... abogado, pero perdía todos los casos.

   a) Será   b) Sería   c) Habrá sido

2. .... en bolsa, ganas mucho dinero.

   a) Invertir   b) Invertido   c) Invirtiendo

3. De .... pensar, acabó con dolor de cabeza.

   a) tanto   b) como   c) que

4. El científico no aceptó la teoría de que el universo .... infinito.

   a) sería   b) fue   c) es

5. A pesar de .... una persona muy nerviosa, habla con mucha tranquilidad.

   a) ser   b) es   c) sea

6. Le dio lástima que no .... ir con él.

   a) podíamos   b) podamos   c) pudiéramos

7. Gracias a que .... la nómina, he podido pagar a tiempo la letra del piso.

   a) he recibido   b) haya recibido   c) reciba

8. .... no termines tu carrera, no encontrarás un buen trabajo.

   a) Cuando   b) Apenas   c) Hasta que

9. Por favor, avise a .... secretaria para que venga a verme.

a) la b) una c) --

10. .... dio cuenta de que nos estábamos burlando de ella.

a) Le b) La c) Se

11. La Edad Media es anterior .... Renacimiento.

a) al b) del c) con el

12. Estaba ocupado, de ahí que no .... venir a cenar con nosotros.

a) podía b) poder c) pudiera

13. El niño .... durmió pronto.

a) se b) le c) lo

14. A ustedes .... veré más tarde.

a) les b) los c) os

15. Sabe montar .... caballo muy bien.

a) a b) a un c) al

16. Acabo de llegar y ya .... vais.

a) vos b) se c) os

17. La Tierra es un planeta abundante .... agua.

a) de b) por c) en

18. El director del banco era partidario de que no se .... las comisiones a los clientes.

a) subieran b) subirían c) subían

19. Este árbol es .... ciruelo.

a) el b) -- c) un

20. Por mucho que ...., no va a convencerte.

a) dice b) diga c) dirá

CLAVES

1

b) El hombre al cual / a quien viste ha desaparecido.

c) Hubo un accidente en la carretera, por lo cual se produjeron muchas retenciones.

d) Iremos a Barcelona, ciudad en la cual / donde se encuentra la Sagrada Familia.

e) El mes en el cual / cuando se difundió la noticia fue febrero.

f) Iré a ver a un amigo en el cual / en quien confío plenamente.

g) La ventana por la cual / por donde se ha fugado estaba abierta.

h) Los musulmanes, contra los cuales / contra quienes lucharon los reyes castellanos y aragoneses, habían invadido la península Ibérica.

i) Éste es el edificio del cual hemos visto la destrucción / Éste es el edificio cuya destrucción hemos visto.

j) Te visitaré en octubre, momento en el cual / cuando estaré menos ocupada.

k) Ana discutió con su jefe, por lo cual fue despedida.

l) Conoció a un hombre al cual / a quien le gustaba mucho esquiar.

m) He vendido el coche, del cual el motor estaba ya roto / He vendido el coche, cuyo motor estaba ya roto.

2

a) entre; b) hacia; c) sobre; d) con; e) entre; f) sobre; g) en; h) hacia; i) en; j) hacia; k) con; l) sobre / en; m) en; n) sobre; ñ) en; o) con; p) entre; q) con.

CON: compañía (d), instrumento (q), modo (k), contenido (o).

ENTRE: lugar (p), colaboración (e), tiempo (a).

SOBRE: aproximación (n), localización (l), tiempo (c), tema (f).

EN: lugar (g, l), tiempo (i), modo (ñ), instrumento (m).

HACIA: dirección (h), tiempo (b, j).

3

b) Dudaba que mañana llegaran a tiempo.

c) Habría estudiado inglés, pero no entendía nada.

d) Era muy triste que hubiera tenido que oír eso.

e) Pensó que para mañana ya habría acabado.

f) Los periodistas informaron de que el presidente del Gobierno había convocado elecciones.

g) Ana se preguntó si Alberto aceptaría su propuesta o no.

h) Me alegré de que todo te fuera bien.

i) Los profesores comentaron que los exámenes podían haber sido mejores.

j) Era normal que hubieran intentado boicotear el proceso de paz.

k) Era cierto que el director había hablado con los trabajadores antes de despedirlos.

l) Sería médico, pero no curaba a ningún paciente.

m) Aunque hiciera mal tiempo, me iría de vacaciones.

n) Era verdad que Juan tenía 35 años cuando le tocó la lotería.

4

b) Antes de que Daniel viniera a verte, habías hablado con su padre.

c) Isabel escuchaba música mientras estudiaba.

d) Después de que termine la clase, quiero hablar contigo / Nada más terminar la clase, quiero hablar contigo.

e) Apenas sonó / nada más sonar / tan pronto como sonó el teléfono, lo cogió.

f) Salimos del cine después de que terminara / después de terminar la película / Nada más terminar la película, salimos del cine.

g) No mejorarás hasta que no te tomes los medicamentos / Mejorarás después de que te tomes los medicamentos.

h) Mientras tienes muchas deudas, no debes despilfarrar el dinero.

i) Nada más terminar / tan pronto como terminó / apenas terminó de leer el libro, se puso a escribir la crítica.

5

Según la concordancia con el verbo, en la oración a) es la tercera persona del plural y en la oración b), la segunda persona del singular. En las oraciones c) y d) no hay un sujeto y, por esa razón, el verbo va en tercera persona del singular.

1. Las oraciones de ambos grupos son impersonales porque no tienen un sujeto concreto relacionado con la situación que indica el verbo. Incluso en las oraciones del primer grupo, la tercera persona del plural y la segunda persona del singular tienen un valor genérico sin una referencia concreta a una entidad: en a) alguien pega, pero no puede precisarse quién ha sido; en b) toda persona que conozca mucha gente, será feliz. Como veremos en el siguiente apartado, hay más tipos de oraciones impersonales en español.

2. Señalamos los grupos y sus características:

1) y 6): Como en la oración b), se utiliza la segunda persona del singular con un valor genérico. Generalmente, suele tratarse de oraciones condicionales y temporales.

2) y 8): Pronombres indefinidos *alguien* y *uno.*

3) y 10): Como en la oración d), se utiliza el pronombre *se* con verbos intransitivos y transitivos sin objeto directo. El verbo va en tercera persona del singular.

4) y 11): Pronombre *se* con verbos transitivos cuyo objeto directo es animado y, en consecuencia, va marcado con la preposición *a.* El verbo va en tercera persona del singular.

5) y 12): Infinitivos con valor genérico.

7) y 14): Como en a), se utiliza la tercera persona del plural.

9) y 13): Como en la oración c), se habla de fenómenos atmosféricos y los verbos no llevan sujeto.

3. Son impersonales: 1), 2), 3), 7) y 10).

6

a) estaba; b) han llamado; c) vengas / hayas venido; d) puedan / pueden; e) va; f) serían; g) hubiera; h) podremos; i) apruebe; j) se fueran; k) reciban; l) terminaras; m) rechace.

1. nombres con subjuntivo: *teoría, causa, solución, ganas (tener)*
adjetivos con subjuntivo: *contento, pendiente, partidario, acostumbrado*

2. nombres con indicativo: *sospecha, teoría, idea*
adjetivos con indicativo: *seguro, convencido, consciente*

3. El modo depende del nombre o del adjetivo, que exigen una oración sustantiva subordinada; el tiempo del verbo de las oraciones subordinadas depende del verbo principal.

4. Las oraciones subordinadas que complementan un nombre o un adjetivo van precedidas siempre por una preposición, determinada por el nombre o el adjetivo: *la sospecha de que, seguro de que, acostumbrado a que.*

7

b) El profesor se sorprendió de que los alumnos no hubieran hecho los ejercicios.

c) El profesor amenazó a los alumnos con dejarlos sin recreo si no hacían los deberes el próximo día.

d) El profesor se convenció de que los alumnos no habían tenido tiempo para preparar el examen.

e) El profesor les dio las gracias a los alumnos por haberlo nombrado el mejor profesor de la escuela.

f) El profesor los felicitó por haber ganado la copa.

g) El profesor insistió en que los alumnos tenían que estudiar más.

h) El profesor los invitó a que vieran esa película.

i) El profesor se quejó de que los alumnos dejaban los pasillos de la escuela llenos de papeles.

j) El profesor se sorprendió de que los alumnos lo hubieran engañado.

8

El verbo *ponerse* expresa un cambio de estado *(gordo, triste)* que no va a durar mucho: si Ana se pone triste, pronto va a dejar de estarlo porque no es una característica de su carácter. El verbo *quedarse* indica el resultado sin que necesariamente se haya producido un cambio: para *ponerse triste* es necesario una causa que motive el cambio; en *quedarse triste* no es imprescindible el cambio (Ana pudo estar triste antes). El verbo *volverse* significa un cambio de estado más permanente que en *ponerse:* si Ana se vuelve simpática, va a estar en este estado más tiempo que si se pone simpática. Por último, el verbo *hacerse* hace referencia a un cambio de estado en el que hay una mayor participación de la persona que realiza la acción: si Ana se hace simpática o la simpática, tiene la voluntad de llegar a este estado.

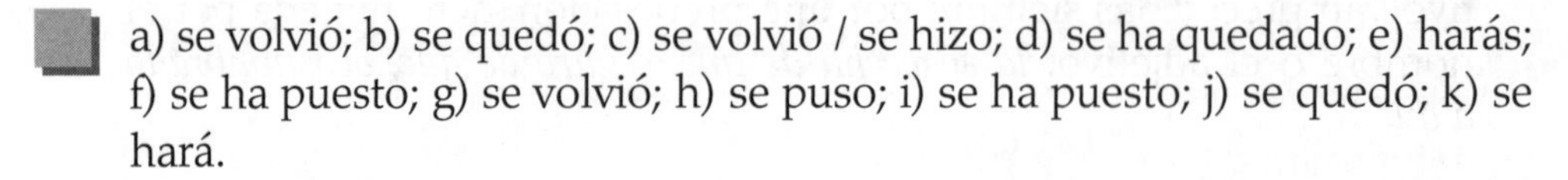
a) se volvió; b) se quedó; c) se volvió / se hizo; d) se ha quedado; e) harás; f) se ha puesto; g) se volvió; h) se puso; i) se ha puesto; j) se quedó; k) se hará.

9

I. 1) Aunque; 2) para; 3) por; 4) que; 5) tan pronto como / apenas / cuando; 6) Al; 7) Si.

II. 1) Como / Dado que; 2) aunque; 3) nada más / cuando; 4) porque; 5) si.

III. 1) si; 2) desde que; 3) en consecuencia / por tanto; 4) aunque; 5) Antes de; 6) porque.

IV. 1) porque / ya que; 2) que; 3) hasta que; 4) Como / Dado que; 5) sin; 6) si.

10

1. b	5. a	9. b	13. b	17. b
2. c	6. c	10. c	14. c	18. a
3. b	7. c	11. a	15. a	19. c
4. a	8. a	12. c	16. c	20. c

11

b) Lamento mi retraso.
c) La gente ha protestado por la destrucción del edificio.
d) Se necesita dinero para la construcción del edificio.
e) Estos platos se han roto por el mal embalaje.
f) Es imposible el estreno de una obra de teatro sin la financiación de alguna entidad pública o privada.
g) Han tardado varios meses en el montaje del espectáculo.
h) Queda prohibida la tala de árboles en primavera.
i) Tiene muchos granos por las picaduras de las abejas.
j) Los delegados de la ONU facilitarán el debate de los países sobre la crisis económica.
k) Se han producido muchas protestas por el encarcelamiento de varios manifestantes.
l) Siento mucho tu disgusto.
m) Oigo los ronquidos de Juan todas las noches.
n) En la televisión vimos los pitidos de la gente a los periodistas.

Los sustantivos se han formado a partir del verbo añadiendo los sufijos *-ción (destrucción, construcción, financiación), -miento (encarcelamiento), -o (lamento, estreno, disgusto), -aje (embalaje, montaje), -a (tala), -dura (picadura), -e (debate), -ido (ronquido, pitido).*

12

b) Aun siendo una persona mayor, es capaz de trabajar duro.
c) Si sales de viaje, revisa el coche.
d) Al presentar el recurso, ya sabías que la gente te apoyaba.
e) Después de entregar el examen, los alumnos podrán salir de clase.
f) De tanto entrenar tuvo una lesión grave.
g) Hasta que no tenga diez años de antigüedad en el puesto, no ascenderá.
h) Como no te cuides / cuidas, puedes tener problemas de salud.
i) Haz el trabajo como te han enseñado.
j) Nada más conocer la noticia, te pusiste a llorar.

13

I. 1) le; 2) se; 3) Les; 4) se; 5) se; 6) se; 7) se; 8) la; 9) se; 10) le; 11) le.

II. 1) me; 2) me; 3) lo; 4) él; 5) lo; 6) nos; 7) nosotros; 8) le; 9) se; 10) él; 11) nos; 12) se; 13) nosotros; 14) se; 15) lo; 16) él; 17) nos; 18) Nos; 19) le; 20) lo/le; 21) él.

14

camino > encaminar > --; cartón > acartonar > acartonamiento; chantaje > chantajear > --; cuaderno > encuadernar > encuadernación; deuda > endeudar > endeudamiento; ejemplo > ejemplificar > ejemplificación; esquema > esquematizar > esquematización; flor > florecer > florecimiento; grano > desgranar > desgranamiento; grupo > agrupar > agrupamiento / agrupación; jaula > enjaular > enjaulamiento; metal > metalizar > metalización; miga > desmigar > --; montón > amontonar > amontonamiento; nudo > anudar > anudamiento / anudadura; pedal > pedalear > pedaleo; plan > planear > planeamiento; trozo > destrozar > destrozo; vicio > enviciar > --.

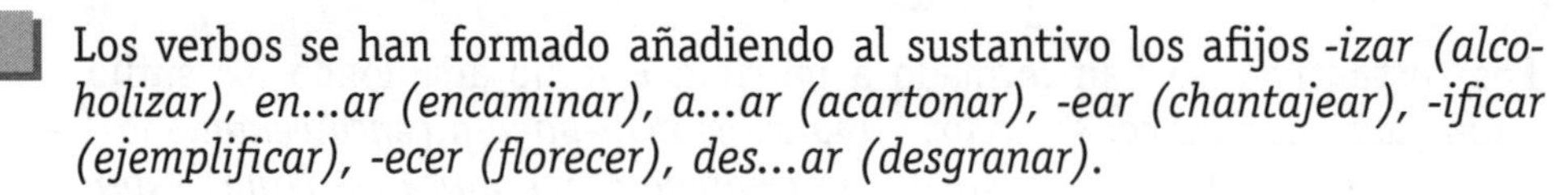

Los verbos se han formado añadiendo al sustantivo los afijos *-izar (alcoholizar), en...ar (encaminar), a...ar (acartonar), -ear (chantajear), -ificar (ejemplificar), -ecer (florecer), des...ar (desgranar).*

15

La oración a) es causal: la razón de que saques buenas notas es que estudias mucho. En la oración b), a la relación de causa se le añade la hipótesis real: la causa se muestra como posibilidad que, si se cumple, también tendrá un resultado. En la oración concesiva c), el resultado es negativo *(no sacas buenas notas)* aunque se cumpla la causa *(estudias mucho).*

La oración d) es causal: la razón de no comer pasteles es porque estoy gordo. La oración e) es también causal, pero con un valor distinto por incluir el subjuntivo: la razón de no comer pasteles no es la gordura, sino cualquier otra.

La oración f) es causal: iremos a cenar porque vienes pronto. La oración g) es condicional: si vienes pronto, iremos a cenar.

La oración h) es temporal: cuando leyó el libro, se dio cuenta del error. La i) es causal: la razón por la que ha suspendido el examen es porque no ha leído el libro.

La oración j) es concesiva: aunque tiene mucho dinero, vive de una forma modesta; el resultado *(vive de una forma modesta)* se opone a la causa *(tiene mucho dinero)*. La oración k) es final: la finalidad de que trabaje muchas horas es tener mucho dinero.

La oración l) es concesiva: aceptó la dirección de la empresa a pesar de que / aunque podía vivir tranquilo con un buen sueldo. La oración m) es temporal.

Las oraciones n) y ñ) son temporales, pero tienen significados distintos según el nexo. En la oración n) tú tienes dinero ahora y, hasta que lo dejes de tener, la gente te apreciará. En la oración ñ) tú no tienes dinero pero, si lo tienes en el futuro, entonces la gente te apreciará.

La oración o) es concesiva con un valor intensivo: el resultado es negativo *(no aprueba)* aunque tengamos una causa intensificada *(estudia mucho)*. La oración p) es causal: la causa de que no apruebe es que no estudia mucho. La oración q) es final: la finalidad de que estudie mucho es aprobar. Las oraciones r) y s) son concesivas pero, a diferencia de la o), no son intensivas. En la oración r) el hablante duda de que se produzca la acción de estudiar; en la oración s), en cambio, el hablante está seguro de que la acción de estudiar se lleva a cabo.

16

a) Los valores que puede tener el presente de subjuntivo en esta oración son el presente y el futuro, como muestran los complementos temporales que pueden aparecer: *No creo que ahora María esté en casa / No creo que mañana María esté en casa.*

b) El imperfecto de subjuntivo en esta oración presenta los valores de presente, pasado y futuro: *No pensé que María estuviera en casa en esos momentos / No pensé que María estuviera en casa el día anterior / No pensé que María estuviera en casa al día siguiente.*

c) El pretérito perfecto de subjuntivo tiene en esta oración el valor temporal de pasado reciente y de futuro: *No estoy seguro de que esta tarde hayan llegado a Valencia / No estoy seguro de que mañana hayan llegado a Valencia.*

d) El pluscuamperfecto de subjuntivo tiene un valor de pasado y de futuro en esta oración: *No comentaron que ayer el paquete hubiera llegado a las tres / No comentaron que al día siguiente el paquete hubiera llegado a las tres.*

En las oraciones afirmativas, el subjuntivo cambia a indicativo, por lo que es posible ver una relación temporal entre los tiempos de indicativo y los de subjuntivo.

a) No creo que mañana María esté en casa > Creo que mañana María estará en casa.

b) No pensé que María estuviera en casa en esos momentos > Pensé que María estaba en casa en esos momentos.

No pensé que María estuviera en casa el día anterior > Pensé que María había estado en casa el día anterior.

No pensé que María estuviera en casa al día siguiente > Pensé que María estaría en casa al día siguiente.

c) No estoy seguro de que esta tarde hayan llegado a Valencia > Estoy seguro de que esta tarde han llegado a Valencia.

No estoy seguro de que mañana hayan llegado a Valencia > Estoy seguro de que mañana habrán llegado a Valencia.

d) No comentaron que ayer el paquete hubiera llegado a las tres > Comentaron que ayer el paquete había llegado a las tres.

No comentaron que al día siguiente el paquete hubiera llegado a las tres > Comentaron que al día siguiente el paquete habría llegado a las tres.

17

a) la; b) lo; c) cuya; d) quien / la que / la cual; e) los; f) de; g) que / cuales; h) por; i) quien / el que; j) la; k) que; l) cuando; m) los; n) que / cuales; ñ) donde; o) lo; p) donde; q) quienes / que; r) cuyo; s) que / cuando.

18

a) haya; b) cambie; c) pueda / haya podido; d) quiera; e) asistáis; f) convoque; g) grite; h) diera; i) salga; j) perdiera.

1. Todas las oraciones del ejercicio llevan subjuntivo. El tiempo de la oración subordinada depende del verbo de la oración principal: presente de subjuntivo si la oración va en presente, imperfecto de subjuntivo si la oración está en pasado.

2. Estas oraciones tienen como sujeto la oración subordinada en subjuntivo. Por esta razón el verbo principal siempre va en tercera persona de singular. La oración principal está formada por expresiones fijas compuestas de verbos con un significado muy general *(dar, tener, hacer)* y sustantivos. Su interpretación se deduce fácilmente a partir del sustantivo: *dar pena* = "apenar", *dar lástima* = "ser una lástima".

3. Estas oraciones con *que, el hecho de que* o *el que* tienen prácticamente el mismo significado.

b) El hecho de que alguien cambie las leyes tendrá graves consecuencias / El que alguien cambie las leyes tendrá graves consecuencias.

c) Me da lástima el hecho de que no haya podido venir con nosotros / Me da lástima el que no haya podido venir con nosotros.

d) El hecho de que quiera dejar la universidad sin acabar la carrera no tiene sentido / El que quiera dejar la universidad sin acabar la carrera no tiene sentido.

e) Nos hace mucha ilusión el hecho de que asistáis a nuestra boda / Nos hace mucha ilusión el que asistáis a nuestra boda.

f) Tiene mucha importancia para el país el hecho de que el Gobierno convoque elecciones / Tiene mucha importancia para el país el que el Gobierno convoque elecciones.

g) A Berta le da vergüenza el hecho de que la gente grite en lugares públicos / A Berta le da vergüenza el que la gente grite en lugares públicos.

h) ¿Te hizo mucha gracia el hecho de que Luis te diera plantón el pasado lunes? / ¿Te hizo mucha gracia el que Luis te diera plantón el pasado lunes?

i) Tiene gracia el hecho de que ahora salga contigo / Tiene gracia el que ahora salga contigo.

j) Le dio mucha rabia el hecho de que su equipo perdiera el partido / Le dio mucha rabia el que su equipo perdiera el partido.

19

a) por; b) por; c) para; d) por; e) por; f) por; g) para; h) por / para; i) por; j) por; k) para.

PARA: finalidad (c, h); destino (g); tiempo (k).

POR: medio (e); agente (b); finalidad (h); tiempo (d); espacio (a); causa (f, j); precio (i).

20

1. b	5. c	9. b	13. b	17. c
2. c	6. a	10. a	14. c	18. a
3. b	7. b	11. c	15. a	19. c
4. a	8. b	12. a	16. c	20. c

21

Posible respuesta

Pedro le explicó a Tomás por qué le había hecho ir hasta ese lugar. Tomás, con mucha curiosidad, le pidió que se lo contara y le preguntó qué le había pasado. Pedro negó que le pasara algo malo y le aseguró que tenía un problema que no sabía cómo resolver. Tomás afirmó que podía confiar en él.

Pedro le confesó entonces que hacía dos meses que había conocido a una chica. Tomás le interrumpió para decirle que no le había dicho nada y quiso saber cómo se llamaba ella. Pedro le respondió que eso era lo de menos y que la cuestión era que estaba muy enamorado y que la perdería si no conseguía dinero. Tomás le preguntó si ella creía que era rico. Pedro respondió que no era eso, sino que le había prometido que la invitaría a Italia en las vacaciones. Tomás, comprendiendo la situación, confirmó que su amigo tenía que pagar el viaje y no tenía dinero. Pedro sentenció que su amigo había dado en el clavo y le preguntó si podría prestarle él dinero para esa noble acción. Tomás se excusó diciendo que se lo prestaría, pero que en esos momentos no podía. Afirmó que creía que no era convenien- te que engañara a la chica ya que, si ella lo quería, debía entenderlo y que, si no, se acabaría todo y ya estaba.

Pedro le gritó que no podía decirle eso y aseguró que si ella le dejaba, se moriría. Le preguntó a Tomás si nunca había estado enamorado. Tomás afirmó que lo había estado, pero nunca había ido engañando a nadie. Pedro declaró que todo lo que le ocurriera sería culpa suya y que le disculpara por haberle hecho ir hasta ese lugar. Manifestó que creía que eran amigos. Tomás aseguró que lo eran.

22

I. 1) un; 2) --; 3) --; 4) --; 5) --; 6) La; 7) los; 8) --; 9) las; 10) --; 11) la; 12) --; 13) --; 14) --; 15) --; 16) el / un; 17) el; 18) --; 19) --; 20) --.

II. 1) --; 2) --; 3) los; 4) las; 5) del; 6) la; 7) las; 8) los; 9) --; 10) --; 11) el; 12) un; 13) la; 14) --; 15) las; 16) la; 17) los; 18) la; 19) la; 20) los; 21) los; 22) al; 23) la; 24) el; 25) la.

23

1. Las oraciones de los grupos b) y c), a diferencia de la oración a), contienen estructuras enfáticas, es decir, son oraciones que dan mayor importancia a una parte de la información. En b), lo más importante es *Juan;* en c) lo importante es *la cena.* Así pues, la parte que quiere resaltarse debe construirse con el verbo *ser* y debe estar repetida mediante el pronombre relativo.

2. Cuando la parte de la oración a la que se concede mayor importancia es una persona, el pronombre relativo puede ser *quien(-es)* o *el/la/los/las que: Fue Juan* ***el que*** *preparó la cena,* ***El que*** *preparó la cena fue Juan.*

3. a) Será mi cumpleaños lo que celebraré el domingo. Será el domingo cuando celebraré mi cumpleaños.

b) Ha sido al bingo donde hemos ido con unos amigos. Ha sido con unos amigos con quienes / los que hemos ido al bingo.

c) Fue la denuncia lo que enviaron al director. Fue al director a quien / al que enviaron la denuncia.

d) Fue Pedro quien / el que se quedó en casa. Fue en casa donde se quedó Pedro.

e) Es Susana quien / la que habla con Gonzalo sobre el libro. Es con Gonzalo con quien / el que habla Susana sobre el libro. Es sobre el libro sobre lo que habla Susana con Gonzalo.

24

La a) es una oración en presente con un valor de futuro próximo: la acción de *acompañar* va a ocurrir. En la oración b), el hablante no quiere o no puede acompañar al receptor y se está disculpando; es una forma educada de rechazar algo. La oración c) tiene un valor de futuro. La d) está proyectada hacia el pasado y lleva implícita una negación: el hablante no acompañó al receptor; este uso del condicional compuesto indica también una forma educada de disculparse por algo que no tuvo lugar: "Si te hubiera podido acompañar, lo habría hecho con mucho gusto".

En la oración e) del segundo grupo, la acción se sitúa en un momento del pasado en el que se afirma un estado: en la casa viven veinte vecinos. En la oración f) el pluscuamperfecto hace referencia al resultado después de muchos años: en esa casa han vivido desde que la han construido hasta esos años un total de veinte vecinos; puede ocurrir que en el momento del pasado en que se sitúa la acción vivan más o menos vecinos de veinte. En la oración g) se expresa una duda en el pasado: el hablante no tiene la certeza de que haya veinte vecinos en esa casa en el momento en que habla. Por último, en la oración h), como en la f), se alude al resultado después de muchos años anteriores pero, a diferencia de ésta, hay una ligera duda. En otras palabras: las oraciones e) y g), por un lado, y la f) y la h), por otro, tienen un mismo valor en el pasado; la diferencia estriba en la duda expresada por el condicional.

La oración i) presenta un futuro probable. En la j), el futuro se ve acabado dentro del espacio temporal que indica mañana. En la k) la acción futura expresada por el presente se da como algo seguro.

En la oración l) Ana tiene pocos años más de cuarenta y sólo hasta los cuarenta ha trabajado como abogada. En la m) Ana tiene muchos más años de cuarenta y sólo hasta esta edad ha trabajado como abogada. En la n) Ana tiene menos de cuarenta años y sólo hasta los cuarenta trabajará como abogada.

25

a) Luis escribió un artículo en el periódico a fin de que la opinión pública conociera el escándalo.

b) Nunca me llegaron tus cartas al cambiar de domicilio.

c) Te dejaré el coche a condición de que me lo cuides.

d) A pesar de haber salido pronto de casa, llegamos tarde.

e) De haber conocido la noticia a tiempo, no habríamos salido de viaje.

f) Invertirá su dinero en esa empresa siempre que su asesor financiero se lo aconseje.

g) He perdido el libro de poesía cuyos poemas me hacían llorar.

h) Por muchos beneficios que tenga la empresa, no contrata a más empleados.

i) Aun haciendo poco, menos quiere hacer.

j) Aunque no me gustaba el trabajo, lo acepté porque necesitaba dinero.

k) Si hubiera asistido a la subasta, habría comprado el cuadro.

26

azul > azulear > --; barato > abaratar > abaratamiento; bello > embellecer > embellecimiento; cómodo > acomodar > acomodación; corto > acortar > acortamiento; duro > endurecer > endurecimiento; familiar > familiarizar > familiarización; frío > enfriar > enfriamiento; grande > agrandar > agrandamiento; húmedo > humedecer > humedecimiento; ideal > idealizar > idealización; largo > alargar > alargamiento; mudo > enmudecer > enmudecimiento; oscuro > oscurecer > oscurecimiento; pálido > palidecer > --; próximo > aproximar > aproximación; rico > enriquecer > enriquecimiento; rojo > enrojecer > enrojecimiento; vulgar > vulgarizar > vulgarización.

Los verbos se han formado añadiendo a los adjetivos los afijos *-izar (agudizar), -ear (azulear), a...ar (abaratar), en...ecer (endurecer, embellecer), en...ar (enfriar), -ecer (humedecer).*

27

1) En; 2) del; 3) a; 4) por; 5) a; 6) con; 7) en; 8) de; 9) al; 10) en; 11) para; 12) a; 13) con; 14) de; 15) por; 16) de; 17) desde; 18) hasta; 19) en; 20) en; 21) por; 22) por; 23) de; 24) a; 25) de; 26) En; 27) a; 28) en; 29) desde / en; 30) del; 31) de; 32) A; 33) del; 34) en; 35) sin; 36) Para; 37) de; 38) con; 39) en; 40) del; 41) a; 42) a; 43) Para; 44) para; 45) sobre; 46) de; 47) a; 48) en; 49) para; 50) a; 51) para; 52) para.

28

1) tenía; 2) viajaban; 3) cambiaba; 4) naciera; 5) habían vivido; 6) trabajaba; 7) cerró; 8) se trasladó; 9) pensó; 10) tendrían; 11) nació; 12) venir; 13) tuvieron; 14) se fueron; 15) ganaba; 16) Se mudaron; 17) estaba; 18) cambiara; 19) Tenían; 20) necesitaban; 21) Habló; 22) decidió; 23) Creía; 24) ganaban; 25) iría; 26) Buscó; 27) estuvieran; 28) trabajaban; 29) permanecieron; 30) iban; 31) se habían adaptado; 32) vivían; 33) consiguieron; 34) se arriesgaron; 35) pagarían; 36) tendrían; 37) Buscaron; 38) estuvieran; 39) encontraron; 40) se adaptaba; 41) se fueron; 42) se quedaron; 43) recuerda; 44) vivió.

29

a) **Le** aseguró que jamás lo había visto.
b) Con Emilio fue **con el que / con quien** vine en el tren.
c) **Esta** ave vuela demasiado bajo.
d) **Hubo** muchas manifestaciones durante las elecciones.
e) El abrigo me gusta, pero no sé si comprárme**lo.**
f) Tengan en cuenta **Ø** que mañana lloverá.
g) Le agradecemos que nos **haya** enviado productos de su empresa.
h) La incorrecta es la segunda oración: Dijo que **tendría** dinero.
i) Podrá encontrarlo dentro **del** área temática que tratamos.
j) Se **desea** comprar esas viviendas a bajo precio.

30

1. a	5. b	9. a	13. c	17. c
2. b	6. a	10. c	14. a	18. a
3. b	7. c	11. b	15. c	19. c
4. c	8. b	12. a	16. a	20. c

31

a) 3; b) 2; c) 1.
d) 5; e) 6; f) 4.

1) Estamos dentro del parque y caminamos.

2) Vamos caminando en dirección al parque y después entraremos en él.

3) Vamos caminando en dirección al parque y al llegar allí dejamos de caminar.

4) Tengo la intención de llamar por teléfono, pero no llamo.

5) Comienzo en breves momentos a llamar por teléfono. La perífrasis *estar para* significa "estar a punto de".

32

Posibles respuestas

1) Cuando a Felipe le tocó la lotería hizo un viaje al extranjero para conocer mundo, aunque nunca había salido de su pueblo / Cuando a Felipe le tocó la lotería, hizo un viaje al extranjero porque quería conocer mundo, aunque nunca había salido de su pueblo.
2) La empresa pidió un crédito no porque quisiera endeudarse, sino porque necesitaban aumentar la producción para no arruinarse / Aunque la empresa no quería endeudarse, pidió un crédito porque necesitaba aumentar la producción para no arruinarse.
3) El profesor explicó a los alumnos que si los españoles no hubieran descubierto América, ahora no se hablaría español allí / El profesor explicó a los alumnos que los españoles descubrieron América, por lo que ahora se habla español allí.
4) Desde que el médico diagnosticó tu enfermedad tenías que haber seguido el tratamiento, porque ahora es demasiado tarde para curar tu enfermedad / El médico diagnosticó tu enfermedad, por lo tanto tenías que haber seguido el tratamiento antes de que fuera demasiado tarde para curar tu enfermedad.

33

a) lamentable; b) científica; c) poblado; d) alemana; e) organizador; f) blancura; g) montañoso; h) guitarrista; i) normalidad; j) vigilante; k) intestinales; l) inauguración; m) revistero; n) responsabilizó; ñ) codazo.

34

1) me; 2) él / conmigo; 3) lo / le; 4) me; 5) me; 6) Yo; 7) me; 8) me; 9) me; 10) me; 11) te; 12) Lo; 13) me; 14) le; 15) le / me / nos; 16) me; 17) los; 18) me; 19) me; 20) me; 21) me; 22) ella; 23) le; 24) ella; 25) nos; 26) Me; 27) Me; 28) Me; 29) eso; 30) me; 31) Le; 32) mí; 33) la; 34) La; 35) lo; 36) ella; 37) nos; 38) me; 39) lo.

35

a) En la primera oración se usa el infinitivo; en la segunda, el subjuntivo.

b) El sujeto del infinitivo es *yo,* el mismo que el del verbo *estudio:* cuando los sujetos de las oraciones principal y subordinada coinciden, en la oración final se usa el infinitivo.

1. a) El sujeto del infinitivo es *le* (objeto indirecto); en estos casos es posible usar el infinitivo en la oración final.

b) La oración es impersonal y está construida en términos generales, por lo que el infinitivo tiene un sujeto genérico.

c) La presencia del verbo de existencia *hay* permite la oración final en infinitivo.

2. Sólo pueden ir en infinitivo las siguientes oraciones:

1) Hay que rellenar muchos papeles para pedir un préstamo.

2) Han avisado a Ana para hacer una entrevista.

5) Se construyeron muchas casas para obtener dinero fácilmente.

6) Me han concedido cinco días libres para cuidar de mi madre.

8) Enviaron libros a la editorial para ser publicados.

9) Hay demasiada gente para ser atendida bien.

36

ENTRE: entre horas (5); entre algodones (27).

DE: de oídas (13); de batalla (25); de pitiminí (2).

PARA: para parar un tren (28); para largo (10); para dar y tomar (28).

SOBRE: sobre ruedas (20); sobre el tapete (30); sobre seguro (1).

A: (a) cada dos por tres (6); a cántaros (12); a corto plazo (8).

POR: por los pelos (11); por amor al arte (21); por las buenas (14).

EN: en líneas generales (23); en pelotas (32); en cartel (22).

CON: con el agua al cuello (4); con pelos y señales (24); con viento fresco (17).

SIN: sin blanca (19); sin pies ni cabeza (29); sin comerlo ni beberlo (15).

CONTRA: contra la corriente (31); contra las cuerdas (4); contra viento y marea (34).

HASTA: hasta el moño (33); hasta la vista (16); hasta la bandera (9).

DESDE: desde ya (26); desde cero (18); desde lejos (7).

37

1) iba; 2) Vivía; 3) intentara; 4) fingiera; 5) hacía; 6) miraba; 7) espiaba; 8) buscaba; 9) había visto; 10) tenía; 11) pudiera; 12) reconocen; 13) había dicho; 14) busca; 15) había mirado; 16) se estremeció; 17) reconocieron; 18) apareció; 19) debería; 20) buscaba; 21) había reconocido; 22) había.

38

a) Ninguna de estas oraciones tiene antecedente, es decir, el pronombre relativo no se refiere al sustantivo que aparece antes que él. Por esta razón, son oraciones genéricas, esto es, hacen referencia a cualquier persona.

b) Los modos verbales que se usan en la oración de relativo son el indicativo en el primer grupo y el subjuntivo en el segundo; en este último caso aparece *que* en la segunda oración.

c) Tanto las oraciones del primer grupo como las del segundo son refranes y proverbios. Sin embargo, las del primero son afirmaciones genéricas, acciones habituales que pertenecen al conocimiento general. Las oraciones del segundo, en cambio, suponen una condición y están situadas en el tiempo: *Si alguien te conoce, que te compre / Si alguien quiere saber lo que vale un potro, que venda el suyo y compre otro.*

1. Estas oraciones, a diferencia de las de anteriores, no son genéricas, sino que se refieren a alguien indeterminado desconocido para el hablante. Cuando van en subjuntivo, marcan además la indiferencia del hablante respecto de lo que dice (a) o el futuro (b).

2. a) calla; b) esté; c) mintió; d) avisa; e) termine; f) hará; g) entrena; h) quiere; i) quiera; j) llegue; k) gane.

39

a) **Le** dije que no cruzara la calle.

b) Todavía **sigue** habiendo estudiantes que faltan mucho a clase.

c) **Volved** pronto, os estaré esperando.

d) Han reconstruido la catedral **cuyo** pórtico data del siglo XIV.

e) A Luis **le** enseñé mi casa cuando vino a verme.

f) Ésa es la ventana **por la** que escapó el ladrón.

g) Compró una casa **que tenía** dos cuartos de baño.

h) Vi una caja **que contenía** bombones.

i) **Le** hablé a María durante dos horas.

j) *La Celestina* es anterior **a** *El Quijote.*

40

1. b	**5.** b	**9.** b	**13.** a	**17.** c
2. a	**6.** a	**10.** a	**14.** c	**18.** b
3. a	**7.** c	**11.** b	**15.** b	**19.** a
4. c	**8.** b	**12.** c	**16.** a	**20.** c

41

1. a) valor de pasado; b) valor de futuro; c) valor de futuro; d) valor de futuro con probabilidad; e) valor de futuro con cortesía; f) valor de pasado reciente; g) valor de pasado anterior a otro pasado; h) valor de pasado inmediato; i) valor de futuro acabado; j) valor de pasado reciente.

2. a) En 1808 **se produjo** el alzamiento popular contra la invasión francesa.

b) Mañana **haremos** un examen.

c) Ahora **me iría** de vacaciones sin pensarlo un minuto.

d) Si pudiera, **me compraría** un coche nuevo.

e) **Querría / Quisiera** ver el vestido del escaparate.

f) Esta mañana **me he levantado** a las ocho.

g) Ana era abogada. **Había estudiado** en la mejor universidad del país y **había obtenido** las mejores calificaciones de su promoción.

h) No puede sustituirse por otro tiempo.

i) La semana que viene ya **habré redactado** el informe.

j) Perdón, ¿qué me **has dicho?** No te he entendido bien.

3. **Presente:** con valor de pasado (presente histórico), se utiliza con hechos históricos para hacerlos más cercanos en el tiempo. Con valor de futuro, el presente marca un futuro seguro.

Pretérito imperfecto: puede sustituir a un condicional para marcar el futuro potencial o la cortesía. En estos casos, el uso del imperfecto es más coloquial y el del condicional más culto. En el valor de cortesía puede utilizarse también el imperfecto de subjuntivo para marcar un nivel aún más culto.

Pretérito indefinido: en el norte de España y en América Latina, el indefinido se utiliza en lugar del pretérito perfecto; se pierde así el valor de pasado próximo que marca el pretérito perfecto. Se usa también con valor de pasado anterior (en lugar del pluscuamperfecto). Es la sucesión de acciones la que determina la anterioridad.

Pretérito perfecto: marca el resultado en el presente, no sustituye a ningún tiempo verbal en este uso. Con valor de futuro acabado, la acción se ve más probable y segura en el futuro.

Pretérito pluscuamperfecto: con valor de pasado próximo (pretérito perfecto) es una forma de cortesía.

42

1) las; 2) --; 3) al; 4) los; 5) una; 6) el; 7) --; 8) --; 9) la; 10) Las; 11) --; 12) las; 13) las; 14) --; 15) --; 16) las; 17) los; 18) una; 19) los; 20) unos;

21) -- / el; 22) los; 23) La; 24) la; 25) los; 26) --; 27) el; 28) el; 29) un; 30) --; 31) las; 32) el; 33) --; 34) El; 35) las; 36) las; 37) los; 38) las; 39) el; 40) --; 41) un; 42) un; 43) los; 44) la; 45) los; 46) los; 47) una; 48) el; 49) las; 50) las; 51) la; 52) los; 53) la; 54) --; 55) los; 56) las; 57) los; 58) la; 59) --; 60) los; 61) las; 62) los; 63) el; 64) la; 65) --.

43

1) sobre / en; 2) de; 3) al; 4) de; 5) en; 6) a; 7) de; 8) de / para; 9) con; 10) al; 11) de; 12) en; 13) de; 14) a; 15) del; 16) a; 17) con; 18) en; 19) de; 20) de; 21) a; 22) de; 23) con; 24) entre; 25) a; 26) de; 27) para; 28) sobre; 29) de; 30) de; 31) de.

44

Posible respuesta

Según el informe que han enviado las autoridades sanitarias, todos los niños que tengan una edad inferior a doce años tendrán que vacunarse contra la meningitis. Durante varios años han muerto en el país muchos niños que no estaban vacunados. La meningitis es una enfermedad que consiste en la inflamación de las membranas que envuelven el encéfalo y la médula espinal. Cualquier parte del cuerpo en la que se detecte una infección puede causar esta enfermedad. Los padres que no quieran vacunar a sus hijos tendrán que hablar con un inspector de salud. Los centros en los que los niños podrán ser vacunados aparecerán publicados en distintos medios de comunicación.

45

a) No hagas la reserva sin conocer cómo es el hotel.

b) No respetaste las señales de tráfico, de ahí que te pusieran una multa.

c) Por ser muy ambicioso, perdiste todos los amigos.

d) Quien tiene muchos amigos tiene un tesoro.

e) Aunque cada vez gana más, tiene menos dinero.

f) Con lo cerca que viven tus padres, nunca los visitas.

g) Para los pocos años que tiene se expresa muy bien.
h) Debes explicarle bien el problema para que lo entienda.
i) A menos que el acusado encuentre un buen abogado, irá a la cárcel.
j) Dado que tiene un buen expediente académico, puede solicitar plaza en las mejores universidades.
k) Al hablar contigo por teléfono, presentí que algo malo ocurría.

46

1) llegué; 2) tenía; 3) dije; 4) había estado; 5) limité; 6) enseñaban; 7) atravesábamos; 8) digo; 9) dije; 10) había estado; 11) hubieran tomado; 12) tenía; 13) tenía; 14) supiera; 15) ignoraban; 16) tenía; 17) haber salido; 18) había recorrido; 19) había empezado; 20) acababan; 21) cruzaba; 22) había seguido; 23) compraba; 24) cambiaba; 25) devoraba; 26) iba.

47

antigubernamental: progubernamental; bienhablado: malhablado; heterosexual: homosexual; hipertensión: hipotensión; infravalorar: sobrevalorar, supervalorar; macroconcierto: microconcierto; maxifalda: minifalda; megaciudad: miniciudad; monocultural: multicultural; monopartidismo: pluripartidismo, multipartidismo; paleocristianismo: neocristianismo; postoperatorio: preoperatorio; posponer: anteponer; subalimentado: sobrealimentado, superalimentado; subestimar: sobrestimar; unicelular: pluricelular.

anti- / pro-; bien- / mal; hetero- / homo-; hiper- / hipo-; infra- / sobre-; infra- / super-; macro- / micro-; maxi- / mini-; mega- / mini-; mono- / multi-; mono- / pluri-; paleo- / neo-; post- / pre-; pos- / ante-; sub- / sobre-; sub- / super-; uni- / pluri-.

48

a) Si Juan participa **en** el experimento, forma parte de él junto con otras personas. Por el contrario, si Juan participa **del** experimento, ha recibido algo de él (dinero, ideas, etc.).

b) En la primera oración, *coincidir* ***con*** tiene el significado de "encontrarse sin haber quedado previamente"; así, Ana y Juan se encuentran con Laura en el bar por casualidad. En la segunda, *coincidir* ***en*** significa "tener dos o más personas la misma opinión o idea".

c) Si Luis sueña **con** las vacaciones, está dormido y el contenido del sueño son las vacaciones. En cambio, si Luis sueña **en** las vacaciones no está dormido y se está imaginando cómo serán las vacaciones.

d) Si Ana entiende **de** libros sabe algo sobre los libros. Sin embargo, si Ana entiende **en** libros, es experta en libros y, por ello, tiene cierta autoridad cuando se habla de libros.

e) En la primera oración, el profesor es el motivo o tema para hablar. Es el mismo significado que tendría *Los alumnos hablan* ***sobre*** *el profesor.* En la segunda oración, los alumnos y el profesor hablan. Por último, en la tercera los alumnos hablan y el profesor escucha, pero no habla.

49

a) Ésa es la terraza **desde la que** se ve el mar.

b) La chica **con la que** estuve ayer Ø en la discoteca me ha invitado a su casa.

c) Informaron al presidente de que **había habido** un atentado.

d) Si **hubiera** un incendio, se produciría una catástrofe.

e) **Cuanto** más dinero tienen, más avaros son.

f) En la reunión **se habló** de cosas importantes.

g) No **tiréis** basuras a la calle.

h) De Madrid a Sevilla se **tarda** cinco horas.

i) Comenzaré **diciéndo**les que el país no funciona.

j) **Vayámonos / Vámonos** de aquí porque tengo miedo.

50

1. c	5. c	9. c	13. b	17. b
2. c	6. a	10. a	14. a	18. c
3. b	7. b	11. b	15. b	19. a
4. a	8. c	12. a	16. a	20. a

51

Posibles respuestas

1) Para participar en los Juegos Olímpicos, el deportista debe pasar muchas horas entrenando sin trabajar en ningún otro sitio, si quiere obtener buenas marcas / Si el deportista quiere obtener buenas marcas cuando participe en los Juegos Olímpicos, no debe trabajar en ningún otro sitio para pasar muchas horas entrenando.
2) El alcalde pidió a los ciudadanos que no utilizaran el coche para ir al trabajo hasta que no disminuyera el índice de contaminación, que empezaba a ser perjudicial para la salud / Como el índice de contaminación empezaba a ser perjudicial para la salud, el alcalde pidió a los ciudadanos que no utilizaran el coche para ir al trabajo con el fin de que disminuyera dicho índice.
3) El castillo cuya torre había sido destruida en el siglo XVI ha sido reconstruido recientemente para que pueda ser visitado ya que, como dicen los historiadores, ocurrieron en él hechos históricos muy importantes / Los historiadores dicen que en el castillo cuya torre había sido destruida en el siglo XVI ocurrieron hechos históricos muy importantes, por lo que ha sido reconstruido recientemente para que pueda ser visitado.
4) Aunque tengas poco tiempo, debes buscar un fin de semana para visitar los pueblos de La Mancha porque, a pesar de no ser muy conocidos, tienen su encanto.
5) El mecánico te sugirió que, cuando cambiaras el aceite del motor del coche, no te olvidaras de cambiar los filtros, porque son importantes para que el coche funcione bien.

52

a) En la primera oración el indicativo expresa una afirmación: Ana tiene dinero y Miguel no lo cree. En la segunda, el subjuntivo refleja la opinión de Miguel, que puede ser cierta o no: Ana puede tener dinero, pero Miguel no lo cree.

b) En la primera oración se informa de un hecho cierto: Ana está enferma y Luis lo duda. En la segunda, el subjuntivo expresa la opinión de Luis: Ana puede estar enferma o no y Luis tiene la duda de que esté enferma, es decir, cree que no está enferma aunque puede estarlo.

c) En la primera oración Laura tiene la apariencia de una chica de quince años porque tiene más o menos esa edad. En la segunda, Laura tiene muchos más años de quince, pero conserva esa apariencia juvenil de las chicas de quince años.

d) En la primera oración la queja de Isabel es porque no la ascienden, es decir, ésa es la causa de la queja. En la otra oración, el que no asciendan a Isabel es el motivo o el contenido de la queja.

e) La primera oración supone una afirmación: la solución al conflicto es retirarse y Pedro no lo entiende. La segunda expresa la opinión de Pedro: la solución al conflicto puede ser retirarse, pero Pedro entiende lo contrario, esto es, la no retirada.

53

a) Lo frecuente en esta estructura condicional es el uso del futuro, como en la primera oración. Ambas oraciones indican una posibilidad real: basta que se cumpla la primera parte de la condición *(si...)*, para que ocurra la segunda. Sin embargo, el uso del condicional simple, en lugar del futuro simple, indica un mayor distanciamiento por parte del hablante de la idea expresada, es decir, el emisor de este mensaje no comparte lo que se dice en él. Esta estructura es muy frecuente en el lenguaje periodístico.

b) En la primera oración las dos acciones de la estructura condicional son simultáneas: comprobamos los libros de cuentas y el tesorero se queda con el dinero. En cambio, en la segunda oración, la acción de *quedarse con el dinero* es anterior a la de *comprobar los libros de cuentas:* el tesorero se quedó con el dinero antes, no en el momento de comprobar los libros de cuentas. En esta estructura condicional no se produce exactamente una posibilidad como en el grupo anterior: que el tesorero se quede con el dinero no es el resultado de comprobar los libros de cuentas. Para que pueda interpretarse como condicional, es preciso sobrentender un verbo de entendimiento: *Si comprobamos los libros de cuentas, <u>podemos observar</u> que el tesorero se queda / quedó con varios millones.*

c) El uso del imperfecto de indicativo en la segunda oración no es normativo, si bien está muy extendido en el español coloquial. A diferencia de la estructura de la primera oración con el condicional simple, el imperfecto indica un mayor compromiso del hablante para realizar la acción.

d) En la primera oración las dos partes de la condición se producen en el pasado, por lo que la condición resulta imposible desde el presente: no ahorró y no tuvo dinero. En la segunda, la acción del pasado *(no ahorró)*, tiene su resultado en el momento actual: ahora no tiene dinero, pero lo podría tener si en el pasado hubiera ahorrado más.

e) En la primera oración de este grupo, el futuro compuesto expresa la duda de un hecho que ha tenido lugar recientemente. En la segunda, el condicional simple también expresa la duda pero de un hecho pasado. En la última oración no existe duda sobre lo que se dice del pasado. En esta estructura condicional, la segunda parte no es el resultado de la condición de la primera. De hecho, la oración con *si* no es necesaria para entender el mensaje. Su uso tiene un fin formal o cortés: el hablante no quiere ser acusado en caso de que se equivoque en lo que dice.

54

b) S: cárcel > V: encarcelar > S: encarcelamiento

c) S: persona > V: personificar > S: personificación

d) S: cadena > V: encadenar > V: desencadenar > S: desencadenamiento

e) S: ilusión > V: ilusionar > V: desilusionar

f) S: nación > A: nacional > V: nacionalizar > S: nacionalización

g) S: monumento > A: monumental > S: monumentalidad

h) A: justo > V: justificar > A: justificable > A: injustificable

i) S: estructura > V: estructurar > V: reestructurar > S: reestructuración

j) S: estima > V: estimar > A: estimable > A: inestimable

55

1) unos / --; 2) --; 3) Les; 4) una; 5) lo; 6) --; 7) le; 8) los; 9) le/lo; 10) se; 11) las; 12) se; 13) --; 14) le/lo; 15) la; 16) la; 17) una; 18) --; 19) se; 20) se; 21) la; 22) se; 23) se; 24) las; 25) un; 26) las; 27) un; 28) le; 29) el; 30) los; 31) un; 32) las; 33) lo; 34) un; 35) la; 36) el; 37) --; 38) el; 39) el;

40) una; 41) --; 42) se; 43) le; 44) la; 45) se; 46) lo; 47) le; 48) --; 49) Les; 50) se; 51) lo; 52) Los; 53) lo; 54) se; 55) -- / las; 56) los; 57) --; 58) un; 59) se; 60) la; 61) la; 62) una.

56

Las cámaras de un supermercado grabaron unas imágenes en las que **aparecía** un hombre robando. El guardia de seguridad le esperó en la puerta para interrogar al hombre cuando **saliera.** El guardia se acercó al ladrón antes de que **saliera** y le **pidió** que le **siguiera.** El hombre se negó al principio porque nadie **podía** obligarle a ir donde él no **quisiera.** El guardia le aconsejó que se **sometiera** a una inspección si no quería que llamara a la policía. Este argumento convenció al ladrón y acompañó al guardia hasta una sala donde vio las imágenes que **probaban** el robo de varios productos del supermercado.

El ladrón aseguró que no **había robado** nada y que todo era un montaje. El guardia no lo creyó, porque lo había visto en las cámaras. El ladrón le animó a que le **registrara,** lo que hizo con mucho gusto el guardia. El registro duró varios minutos durante los cuales el guardia no encontró nada. **Había revisado** varias veces la ropa del supuesto ladrón y no había nada. Se preguntó qué **había hecho** con los productos.

Como no **tenía** ninguna prueba, dejó marchar al ladrón, que le miró con cierta ironía. El ladrón se envalentonó amenazando al guardia con denunciarle por falsas acusaciones, que **podían** constituir graves daños para su conducta moral en el futuro. El guardia le aconsejó que **saliera** de allí como si nada **hubiera pasado.**

Después de que el ladrón se **marchara / marchó,** el guardia recorrió los lugares donde había estado el ladrón. No encontró nada sospechoso. Estaba obsesionado por lo que **había ocurrido.** Vio varias veces las grabaciones hasta que **descubrió** el plan. El ladrón había cogido los productos y los **había escondido** entre la ropa. Después se **había dirigido** a los servicios, donde los dejó. Mientras el guardia hablaba con él, un compinche había entrado en el supermercado para llevarse lo robado. Las grabaciones no podían acusar, así, a ninguno de los dos.

El guardia llamó a los dueños para recomendarles que **instalaran** controles de seguridad en los servicios. Sólo así se evitaría que **volviera** a pasar lo mismo.

57

Se han marcado en negrita los pronombres y determinantes posesivos y se han subrayado los sujetos innecesarios.

Un señor fue a un banco porque el señor quería conocer qué productos financieros **le** convenían más. El director del banco **le** dijo que existían varias posibilidades. El señor podía elegir entre distintos fondos de inversión, acciones, bonos del tesoro o dejar **su** dinero en depósito. El señor **le** pidió que **le** explicara cada uno de los productos porque el señor no sabía nada de **ellos.**

Durante más de dos horas el director estuvo hablando con **él.** El señor hacía continuas preguntas al director y a veces el señor no **le** dejaba hablar. El director empezó a hartarse y **le** preguntó si el señor se había decidido ya. El señor se levantó y el señor **le** dijo que el señor ya sabía lo que más **le** convenía, pero el señor no estaba seguro de que el señor quisiera invertir **su** dinero. El señor sólo quería hablar con alguien durante un tiempo. El director, furioso, **le** ordenó que el señor saliera de **su** banco y que el señor no volviera a aparecer por allí.

58

Posible respuesta

Como Daniel y Teresa estaban de vacaciones, se fueron a la playa para descansar. Cuando el coche se estropeó en medio de la carretera, hicieron autostop, porque tenían que encontrar un taller si querían arreglar el coche. Esperaron en la carretera, que no era muy transitada, hasta que pasó un coche que los llevó al pueblo más cercano, donde encontraron un taller. Como el mecánico se negaba a ver el coche, intentaron convencerle hasta que aceptó, aunque les cobraría mucho dinero.

59

1) No te fíes de la gente **que** ves.
2) El tema **del** que hablaremos mañana puede resultar muy interesante.
3) Por **más** que trabaja, no consigue el dinero suficiente para comprarse un coche / Por mucho que **trabaje,** no **conseguirá** el dinero suficiente para comprarse un coche.
4) Me **gusta** discutir los temas más interesantes.
5) Bajaba por las escaleras **y me caí** en el tercer piso.
6) No **cerréis** la ventana.
7) Veo **a** los niños jugando en el parque.
8) Fue por eso **por lo** que fuimos rápidamente a hablar con él.
9 Se compró una chaqueta **que estaba** rota.
10) Describe los lugares de la ciudad como si estuviera hablando con una persona **que visita Ø** la ciudad.
11) Me **gusta** que vengas a verme y que me traigas regalos.
12) Han pedido asilo político **las** personas **en cuyo** lugar de origen fueron perseguidas por sus ideas.
13) Le aseguro **Ø** que valdrá la pena.
14) **Cuanto** más **Ø** sepamos, mejor estaremos.
15) Muchas personas **que** viven aquí **Ø** no hablan español / Muchas personas **que** no hablan español viven aquí.
16) Es una buena señal que los gobiernos de todos los países se **den** cuenta **de** que las sociedades actuales son multiculturales.
17) No hablaremos de los temas **en los** que no estamos interesados.
18) Se promulgaron medidas para que los taxistas **estén / estuvieran** más seguros en su trabajo.
19) Al niño **le** han dado un fuerte golpe en el colegio.
20) Los padres llevan al niño al hospital **y lo ingresan** rápidamente.
21) **Cuanto** menos salgas, menos gente conocerás.
22) Cuando los países ricos **distribuyan** su riqueza, el mundo será más justo.
23) Si los universitarios sacan buenas notas, **pueden** encontrar un buen trabajo.

24) **Para** él lo más importante era conseguir una casa.

25) La enseñanza de idiomas extranjeros es **necesaria** para el desarrollo de los estudiantes.

26) Los estudios nos informan **de** que cualquier niño **tiene Ø** capacidad de aprender.

27) Me **interesa** la venta de su casa y que la inmobiliaria no intervenga.

28) La mujer **cuyo** marido es escritor es muy conocida.

29) Antes **de** que los periodistas divulgaran la noticia, el presidente comunicó su dimisión a los ciudadanos.

30) Los científicos han asegurado que **esta** agua no es potable.

31) Los profesores deben mejorar **Ø** los programas para que sean más pedagógicos.

32) Hemos conocido a un chico **que** sabe mucho de informática.

33) La policía perseguía al delincuente **y lo arrestó** minutos después.

34) Me **molesta** que ellos griten y que hagan ruido.

35) **Le** interesó mucho la noticia que acababa de oír y la grabó en una cinta.

36) El profesor se da cuenta de que a los estudiantes **a los** que les importa mantener **Ø su** cuerpo en forma trabajan más en clase.

37) Sabía que no **iban** a ser **fáciles** e **inmediatos** estos cambios.

38) No iré a visitarla hasta que no me lo **pida.**

39) **Cuantos** más amigos tiene, más se aburre.

40) Sólo saldré con un chico **que sepa** inglés.

60

1. b	5. a	9. a	13. a	17. c
2. c	6. c	10. c	14. b	18. a
3. a	7. a	11. a	15. a	19. c
4. c	8. c	12. c	16. c	20. b